Maurice et Mahmoud

Maurice et Mahmoud

du même auteur
chez le même éditeur

*imaqa** (2002)
Le blues du braqueur de banque (2012)

*Aussi disponible en poche (Babel, 2012)

_____

Ouvrage traduit avec l'aide du Danish Arts Council.

Flemming Jensen

Maurice et Mahmoud

traduit du danois par Andréas Saint Bonnet

roman

GAÏA ÉDITIONS / LEMÉAC

Gaïa Éditions
82, rue de la Paix
40380 Montfort-en-Chalosse
téléphone : 05 58 97 73 26

contact@gaia-editions.com
www.gaia-editions.com

Titre original :
Mogens og Mahmoud

Illustration de couverture :
© Emmanuel Pierrot / Agence Vu'

Ce récit est un conte humoristique.

Une babiole, si vous voulez.

Pourquoi le raconter, alors ?

Parce qu'au moment où c'est arrivé, ça ne semblait pas être de la bagatelle. Pas du tout !

Durant une certaine période de ma désormais longue vie, j'ai quotidiennement frayé avec des problématiques susceptibles de déclencher des guerres et de plonger les peuples dans la confusion. Le genre qui peut faire éclater une nation, faire jaillir la haine entre des gens qui autrement n'auraient pas eu de difficulté à s'entendre.

C'est pourquoi je ressens le besoin de transmettre ce petit récit, dénué de toute prétention critique, à propos d'incidents mineurs ayant tendance à prendre des proportions encombrantes. La plupart du temps, on peut calmer une telle crise avec un sourire en coin, pour peu que les problèmes acceptent de reprendre leur taille normale.

Et alors, vous vous demandez : « C'est tout ? »

Non, parce que ce n'est pas toujours aussi facile – bien sûr que non. Parfois, il faut inspirer une grande goulée d'air et se battre pour ce qui nous est cher. Sur une terre aussi mondialisée, on ne peut se permettre de perdre les pédales chaque fois qu'on croise une différence. Et certains sujets sont si sérieux et délicats qu'on ne devrait pas laisser des personnes dépourvues d'humour y toucher.

Les différences provoquent souvent des problèmes, c'est vrai. Mais elles sont aussi régulièrement à l'origine des badineries les plus savoureuses.

Vous trouvez que c'est un drôle de mot, « badinerie » ?
Probablement.
Mais c'est plus joli que « rébarbatif ».

à Vangede, au printemps 2012
Maurice Johansen

You must remember this
A kiss is just a kiss,
A sigh is just a sigh.
The fundamental things apply
As time goes by.

Chapitre 1

D'être réveillé dans un endroit inhabituel, dans des circonstances inhabituelles, par un bruit très, très inhabituel.

Je ne savais pas quelle heure il était. Mais il faisait nuit, et j'avais enfin réussi à m'endormir. Combien de temps j'avais dormi, aucune idée, et pendant un bon moment je ne sus même pas où j'étais. Si, j'étais sur une sorte de canapé, un canapé un peu trop court. Ou alors c'était moi qui étais un peu trop long – il ne faut pas toujours rejeter la faute sur son environnement immédiat. Tiens, cette considération est le point majeur du récit que je m'apprête à faire. Mais commençons donc par une exception : si j'avais été tiré de mon sommeil, *c'était* de la faute de mon environnement immédiat !

Très brutalement, en plus !

Ce vacarme infernal aurait réveillé un mort. J'avais déjà entendu ce son, quelque part. Lentement, je commençai à me rappeler. Je l'avais entendu dans des reportages sur le Moyen-Orient, où dans une grande tour au-dessus des mosquées se tient un vieil homme barbu qui hurle à tout le village de se tenir à carreau. Ou quelque chose dans ce genre.

Je dois avouer que, dans mon état de coma post-réveil, la première chose à laquelle je songeai fut les présélections pour l'Eurovision, après que l'origine des participants eut été étendue vers l'est. « Ils gagneront jamais », ai-je eu le temps de penser.

En fait, c'était un appel à la prière musulman. Et la source du bruit se trouvait à l'autre bout de la pièce sombre, clignotant avec véhémence en violet et orange.

Puis une porte s'ouvrit juste à côté du canapé, et j'entendis la voix de Mahmoud.

« Pardon ! J'aurais dû le prendre avec moi. Je n'y ai absolument pas pensé, désolé », chuchota-t-il, pour une obscure raison. Il traversa la pièce d'un pas vif, vers l'horreur clignotante, et coupa le son. Aaaaaah... ça faisait du bien.

« C'était un réveil ? demandai-je, toujours sous le choc.

– Un cadeau de Maman », expliqua-t-il. Il avait sans doute acquiescé, mais comme je l'ai dit, il faisait noir. « Elle veut s'assurer que je n'oublie pas la prière du matin. »

J'eus le temps de penser que ça ne pouvait pas être le réveil d'une seule personne. Il avait dû être conçu pour réveiller tout un village.

J'étais maintenant tout à fait réveillé, et tout me revenait. Depuis un certain temps, chaque nuit, j'avais dû dormir au bureau. J'étais en plein divorce, voyez-vous. Dans ce genre de situation, on fait des tas de choses bizarres. Pas parce qu'on a envie de se comporter bizarrement, mais juste parce qu'on n'a pas le choix. Et j'ai été obligé de quitter la maison que j'habitais depuis vingt-huit ans, car il est difficile de vivre avec une personne dont on est en train de se séparer. Nous avions beaucoup trop de sujets de conversation.

Quelle ironie, étant donné qu'avant cette histoire de divorce, c'était l'inverse.

Les enfants ayant tous les deux déménagé, j'aurais pu dormir dans l'une de leurs chambres. Mais ça, Cathrine était contre. Ma présence la rendait irritable, et elle affirmait qu'il n'était pas dans mon intérêt qu'elle soit irritable pendant la procédure de divorce.

J'avais donc rempli une valise et deux sacs plastique Carrefour, et commencé à dormir au bureau. Personne n'était au courant. Je disais simplement que j'arrivais tôt et travaillais tard le soir.

Il se trouve que de toute façon, c'est plus ou moins l'entreprise d'une seule personne. Mais j'ai toujours un assistant, eu égard aux menues difficultés que je rencontre avec l'informatique et tout ça.

Mon assistant est un jeune homme de 32 ans, nommé Mahmoud Abusaada, et totalement dénué de la moindre expérience en comptabilité. Mais collez-lui un clavier entre les mains, et il commencera à jongler à toute vitesse avec fichiers, extractions Excel, Dropbox et tout le reste. Il est, vous l'avez sans doute deviné, musulman, mais totalement danois et c'est un vrai petit geek. C'est ce que je pense, mais bon, dans ce domaine, je suis très impressionnable. Rien que savoir allumer et éteindre la bestiole...

Bref, Mahmoud a découvert que je dormais au bureau. Il m'a pris la main dans le sac. C'était tard le soir, il était chez lui plongé dans un polar arabe, quand il s'est rendu compte qu'il avait oublié de quitter un quelconque programme et qu'il y avait des risques qu'une âme malveillante s'infiltre dans les comptes clients.

Il s'était précipité à nos locaux du centre-ville par le premier train – c'est dire s'il a du mérite. Il était entré, avait fermé la porte puis remarqué qu'il y avait de la lumière dans mon bureau. Un instant plus tard, il se tenait face à son chef en pyjama. Une situation assez délicate à expliquer, surtout si aucune femme n'est présente.

Mahmoud eut donc droit à toute l'histoire, trouva que c'était triste pour moi, et insista tant et plus pour que je vienne dormir chez lui.

« Tu peux très bien dormir sur le canapé jusqu'à ce que tout s'arrange. »

Une proposition fort aimable, que je n'étais pas très enclin à refuser. Pour être honnête, je commençais à être un peu usé.

« Tu as une douche ? » demandai-je.

Bien sûr qu'il en avait une. Affaire conclue – j'en avais ma claque des toilettes de chat dans les W.-C. du personnel. Je fis ma valise, et Mahmoud saisit les sacs plastique.

« Tu peux les laisser, dis-je, c'est du linge sale. »

Il les prit quand même.

« Je peux donner ton linge à laver à Maman quand elle viendra chercher le mien, sans problème. »

Avais-je mal entendu ?

« Tu es un homme adulte, Mahmoud. Tu as 32 ans. Ta mère lave ton linge ?

– Évidemment. Comment veux-tu qu'il redevienne propre, sinon ? »

Et il passa la porte avec les deux sacs plastique. Je soupirai et le suivis avec ma valise.

Le trajet en train était plus long que je ne l'avais imaginé. Évidemment, Mahmoud habite dans la banlieue d'Avedøre. Au septième étage.

À notre arrivée, il proposa une tasse de café du soir, mais j'étais mort de fatigue et refusai poliment. Je sortis mon pyjama de la valise et me laissai tomber sur le canapé – celui qui est trop court.

Et voilà que je venais d'être tiré de mon sommeil par un réveil musulman visiblement convaincu que tout son entourage immédiat devait se prendre sérieusement en main.

Le son n'est pas facile à décrire, mais vous l'avez sans doute déjà entendu quand votre reporter préféré déboule à l'écran en direct du Yémen ou de Fallujah.

Mahmoud se rendit dans la salle de bains et laissa la porte ouverte. Il y avait maintenant assez de lumière pour que je puisse m'orienter.

« Tu n'allais pas faire ta prière ? demandai-je. C'est pas pour ça que le réveil a sonné ? »

Si, mais il devait se laver avant de prier. Ça va ensemble – peut-être que dans le cas contraire, la prière ne compte pas. Une idée sympathique. J'ai croisé quelques prêtres catholiques dans le sud de l'Italie qui pourraient en prendre de la graine.

14

C'est alors que je jetai un regard sur ma montre : 4 h 30.
« 4 h 30 ! éructai-je. Tu fais ça tous les matins ? »
Tous les matins, confirma-t-il. Alors pourquoi est-ce que c'était tout le temps lui qui était en retard au boulot ? Ça n'avait sans doute aucun lien avec la foi. Ça devait être purement génétique.

J'avais réussi à m'orienter jusqu'à un interrupteur et allumé la lumière. Mahmoud sortit de la salle de bains et saisit un petit tapis de prière enroulé sur une étagère.

« Je vais dans la chambre, pour ne pas déranger », dit-il en fermant la porte derrière lui.

Déranger ? Mais j'étais complètement réveillé maintenant !

Il repassa la tête par la porte.

« Ne réponds pas au téléphone si Maman appelle. »

Comment étais-je censé deviner que c'était sa mère ? Est-ce que le téléphone ferait le même bruit que le réveil ?

Il anticipa la question.

« Personne d'autre n'appelle à 4 h 30 du matin. Elle aime bien checker. »

Il retourna dans la chambre et referma la porte.

Je restai là à écouter. S'il s'était lancé dans sa prière, il avait adapté le volume, car je n'entendais pas grand-chose. Il y a une différence entre prier paisiblement sur un petit tapis dans une chambre à coucher et grimper en haut d'une tour en hurlant pour que tout le quartier sache ce qui se passe.

J'éteignis la lumière et retournai m'allonger sur le canapé. Si j'arrivais à calmer mon pouls, j'avais largement le temps de dormir quelques heures de plus. Pour autant que je le sache, les musulmans prient cinq fois par jour, et par conséquent, la prochaine fois que le réveil se mettrait en rogne, je serais installé dans mon bureau depuis longtemps.

Je fus soudain frappé par une idée : si Mahmoud devait prier cinq fois par jour, il ne pouvait pas éviter de le faire durant ses heures de travail. Je ne l'avais jamais remarqué. Peut-être qu'il allait dans le local du photocopieur ? Est-ce que je le payais pour s'étaler par terre et prier ? Bon sang, qu'est-ce que ça pouvait bien faire ? Il y a des tas d'employés de bureau qui sortent fumer vingt clopes par jour. Mahmoud ne fume pas, et je crois que c'est plus sain de prier. Bon, évidemment, ça dépend de ce qu'on demande dans sa prière.

Soudain, le téléphone sonna. Quelque part dans l'obscurité. Je tirai la couverture sur ma tête et tentai d'ignorer la sonnerie, puisque j'avais promis de ne pas décrocher. Attendez... c'était *the Nokia tune*, et Mahmoud avait un iPhone...

C'était mon propre téléphone qui sonnait. À moitié dans les vapes, je me libérai péniblement de la couverture, roulai hors du canapé et commençai à chercher cette saleté de téléphone. Pourquoi la mère de Mahmoud m'appelait-elle *moi* ?

Ce n'était pas elle.

C'était Cathrine. Cathrine – en plein milieu de la nuit ! Qu'avait-elle donc en tête ?

Je m'effondrai sur le canapé.

« Qu'est-ce que tu veux ? soupirai-je dans le téléphone. Pourquoi tu appelles à 4 h 30 du matin ? Tu t'es convertie à l'islam ?... Quoi ? Tu as voulu divorcer, tu m'as jeté dehors, et ensuite tu appelles en plein milieu de la nuit pour me raconter que l'alarme anti-intrusion s'est déclenchée ! »

Si je raccrochais violemment tout de suite, elle rappellerait, tout simplement. De toute façon, on ne peut pas raccrocher violemment un téléphone portable, on peut juste appuyer très fort sur le bouton rouge. Ce qui est loin d'être aussi satisfaisant. Si je voulais avoir la paix, mieux valait se maîtriser et l'aider. Ça avait toujours été comme ça.

« Il y a un bouton pour la réinitialiser dans la buanderie, juste au-dessus de l'étagère à chaussures, soupirai-je, ensuite tu appelles le central pour dire que c'était une fausse alerte... »

Ça ne lui suffisait pas. J'eus droit à tout le baratin : et s'il y avait vraiment quelqu'un, et si ceux qui étaient là étaient des cambrioleurs, et si...

« Stop, Cathrine ! Qu'est-ce que tu t'imagines ? Tu m'as mis à la porte, bon sang ! Ça fait plus d'une semaine ! Tu ne peux pas t'attendre parallèlement à ce que je rapplique dans la minute si... »

C'est alors qu'une deuxième bon Dieu de sonnerie se fit entendre ! L'engin était posé juste à côté de moi, et je le saisis immédiatement.

« Allô ? Oui ? Non, bordel !! »

C'était l'iPhone. L'iPhone de Mahmoud. Et il venait de me dire qu'il ne fallait pas que je décroche. Alors pourquoi est-ce que je venais de le faire ? C'était stupide, bien sûr, mais quelle présence d'esprit peut-on exiger d'une personne arrachée à son sommeil par un réveil musulman furieux à 4 h 30 du matin ?

« Excusez-moi ! bafouillai-je, vous êtes bien chez Mahmoud, mais ce n'est pas Mahmoud, c'est Maurice !... Pardon ? »

J'ai toujours eu du mal à comprendre les femmes quand elles hurlent. Le fait que ça soit dans une autre langue n'aide pas.

Ça grésillait aussi dans le Nokia, Cathrine s'impatientait.

« Une seconde ! grondai-je dans le téléphone, ça doit être sa mère ! »

Voilà que je me tenais avec un téléphone dans chaque main, et au bout de chacun des téléphones il y avait une femme en colère. Je n'avais aucune envie de parler ni avec l'une, ni avec l'autre, mais grâce à ma saleté de bonne éducation j'étais en train de parler aux deux à la fois.

« Bonjour, madame ! dis-je dans l'iPhone. Je m'appelle Maurice, je suis un invité... »

Peut-être que ça passerait mieux en anglais. « *I am a guest…* » Pourquoi cette bonne femme ne s'avisait-elle pas d'apprendre le danois, si elle voulait appeler des gens en plein milieu de la nuit ? Mais c'est vrai, c'était son fils qu'elle voulait appeler.

« *Just a moment, I'll get him for you…* » J'étais sur le point d'ouvrir la porte de la chambre quand je me demandai s'il n'y avait pas une histoire comme quoi il ne fallait pas interrompre une personne en train de prier. Sinon, la prière n'est pas entendue, ou le Dieu concerné vire furax, ou on écope d'un lézard en prochaine réincarnation… je ne sais plus. Difficile de démêler toutes ces histoires de religion. Sa mère devrait attendre qu'il ait fini de prier.

« *Sorry, madam – no intermission – please wait !…* Mais enfin, il prie, je vous dis ! *He asks ! On a blanket ! Auf einem Teppich ! Sulla una…* »

Comment diable explique-t-on un truc pareil ? Elle aurait dû le savoir, justement !

Cathrine recommença à crépiter dans l'autre téléphone. Cette femme n'a jamais su comprendre quand c'était son tour ou pas.

« Tu ne pourrais pas me laisser tranquille, il est 4 h 30 du matin, Cathrine !… O.K., 4 h 37, soit ! »

Et voilà qu'elle commença à pleurer. Elle avait peur qu'il y ait quelqu'un dans la maison, et s'était retranchée dans un lieu sûr.

« Tu t'es enfermée toute seule dans la chambre ? Pourquoi tu fais ça seulement maintenant ? Ça aurait pu sauver notre mariage ! »

C'est une sacrée arme, les pleurs d'une femme. J'en deviens tout mou et me mets à agir irrationnellement. Je m'entendis demander si on ne pouvait pas simplement tout oublier. Je pourrais rentrer à la maison, et on essaierait de tout remettre en route.

18

Mais ce n'était pas du tout le sujet. Elle voulait juste que j'appelle le central de sécurité pour qu'ils envoient quelqu'un. De préférence avec un chien.

Je suffoquai un petit instant, et mon sentimentalisme fondit comme neige au soleil. Si elle pouvait m'appeler moi, elle pouvait bien appeler le central, bordel !

« Bonne nuit, Cathrine, grognai-je, avant de couper la communication. Nom de Dieu ! »

Je secouai la tête et m'assis sur un coussin marocain. Mahmoud devait en avoir bientôt terminé avec cette prière. J'avais bien besoin d'un remontant.

« Tu n'aurais pas de l'alcool ? » criai-je vers la porte.

Juste par-dessus l'iPhone !

Bon sang, je n'avais pas pensé à ça.

« *Sorry, madam* ! Il n'a *pas* d'alcool !! *No beer, no wine, no nothing* du tout ! »

Alors, je vis Mahmoud. Il était de retour dans le salon et se tenait là, son tapis enroulé sous le bras et un air éberlué au visage.

« Ah, grâce au ciel ! Il arrive, madame ! *He is coming !* »

Je lui jetai le téléphone, et il posa le plat de sa main sur le micro.

« Je t'avais dit de ne pas décrocher ! siffla-t-il doucement.

– Oui, mais je l'ai pris quand même, parce que je venais de décrocher l'autre ! me défendis-je. Il est 4 h 30 !»

Mahmoud prit alors une profonde inspiration et s'adressa à Maman.

J'ai quelque chose à dire. Et ce n'est pas dit de façon raciste ou dégradante. Je n'ai absolument rien contre les autres peuples, mais enfin, je trouve que les Arabes hurlent tout le temps. Comme si ça faisait partie de la langue.

J'ai remarqué un peu la même chose avec les Jutlandais. À la différence que pour eux, ça fonctionne à deux vitesses : soit ils crient très fort, soit ils chuchotent si bas et de façon si entendue qu'il faut pratiquement enfoncer l'oreille dans leur bouche pour suivre. Le juste milieu, ce n'est pas leur truc. Je ne sais pas pourquoi. Peut-être que c'est parce qu'ils doivent mener leurs dialogues dans des zones rurales étendues. Tout comme les Arabes qui doivent faire fonctionner la communication à travers leurs déserts immenses.

En plus, les Arabes ont cette particularité qu'ils ont toujours l'air très en colère, ou en pleine dispute. Une fois, j'ai demandé à Mahmoud s'il y avait une raison à cela. Il m'a répondu que c'était souvent dû au fait qu'ils étaient très en colère, ou en pleine dispute.

Pour autant que je puisse le deviner, Mahmoud était en train de se défendre, et parmi tous les mots incompréhensibles jaillissait de temps à autre le terme *alcool*. À chaque fois que cela se produisait, il me lançait un regard lourd de reproches.

Je ne sais pas si c'est moi, mais je trouve qu'il est difficile de s'endormir à côté d'un jeune Arabe en train de se disputer avec sa mère. Je me levai donc, me dirigeai vers la bouilloire, et commençai à chercher du café dans les placards.

Mahmoud fit une pause dans la discussion et agita la main pour m'en dissuader. Il préférait faire le café lui-même.

Puis il recommença à crier, et j'attendis.

C'était son appartement, j'étais un simple invité, j'avais juste été autorisé à dormir sur le canapé. Sa voix se faisait de plus en plus lasse, et il hochait la tête tout le temps en parlant. Maman devait être en train de prendre le dessus. Enfin, il reposa le téléphone.

« C'était Maman, soupira-t-il.

– Désolé d'avoir décroché…

– C'est exactement ce qu'il ne fallait surtout pas faire. Maintenant, elle croit que je suis gay ! »

Je lui proposai de rappeler. Je pourrais alors la rassurer en faisant des bruits de chameau.

C'était pas la meilleure blague du monde, je l'admets.

20

Ce n'était pas le but, de toute façon. Juste un trait d'humour, la routine. Pas spécialement drôle.

Il leva les yeux vers moi.

« J'en entends beaucoup, des comme ça, soupira-t-il, fatigué. Je ne sais pas quoi répondre. »

C'est précisément là que beaucoup d'étrangers font fausse route. Il n'y a justement rien de particulier à répondre. Ce n'est rien d'autre qu'une façon de parler, de l'humour typiquement danois ! Nous semons quelques sympathiques impertinences dans les conversations banales. Ce n'est pas une chose à laquelle on doit répondre ou contre laquelle s'offusquer, il suffit de continuer à parler. Nous n'avons aucune mauvaise intention.

« Bon ben, reprit Mahmoud sèchement, on retourne au lit ?

– Non merci, ça ne plairait pas à ta mère. »

Il me lança encore un regard las.

« Désolé ! »

Moi et ma grande gueule. Je venais de récidiver. Si je commençais à expliquer en quoi c'était supposé être drôle, ça allait devenir vraiment embarrassant. Ce n'était même pas une plaisanterie volontaire, plutôt une sorte de réflexe. Tout à fait fortuit. Assaisonnement de conversation.

« Fais donc ce café », dis-je. Là, il n'y avait rien à comprendre de travers. La plupart des étrangers préfèrent sans doute les messages clairs.

Quand j'y pense, c'était idiot de considérer Mahmoud comme un étranger. Il était né et avait grandi au Danemark, était allé à l'école au Danemark et parlait bien évidemment sans le moindre accent. Grammaticalement, il s'en sortait bien mieux que n'importe quel présentateur sportif.

Mais alors, bon sang, pourquoi avait-il tant de mal avec l'humour danois ? N'en ayant pas la moindre idée, je décidai de faire plus attention. C'était gentil de sa part de me permettre de dormir là.

Mahmoud avait commencé à remuer des tasses.

Il n'y avait pas de cuisine dans l'appartement. Le four, le plan de travail et le frigo se trouvaient dans un coin du salon. Très joli et pratique.

« Il faut que tu parles sérieusement à ta femme demain, pour que tu puisses rentrer à la maison.

– Je ne serais pas le bienvenu.

– C'est tout autant ta maison, non ? »

De toute évidence, il ne connaissait pas Cathrine. C'était de moi qu'elle voulait se séparer – pas de la maison. Il attendait que l'eau se mette à bouillir. Il s'assit sur l'autre coussin marocain.

« Les divorces, c'est vraiment pas une très bonne chose, commença-t-il. On peut pas simplement jeter... Combien de temps vous avez été mariés, déjà ?

– Vingt-huit ans. Va savoir pourquoi. »

Mahmoud plissa le front.

« On peut pas jeter vingt-huit ans de mariage à la poubelle. Le Prophète dit que le divorce...

– Combien de femmes il avait, ton Prophète ? » l'interrompis-je. Il m'arrive d'être vraiment bas du front, mais Mahmoud répondit aimablement.

« Treize. Mais il n'a jamais divorcé d'aucune d'entre elles ! »

Ah oui ! Dans ce cas, c'est normal qu'elles s'empilent.

« N'abandonne pas, Maurice ! » On aurait cru entendre un missionnaire. « Elle te demandera bientôt de rentrer à la maison, elle en aura marre de dormir toute seule. »

Aucune chance ! Ce genre de choses était terminé depuis des années. Premièrement, désormais, je préférais un petit casse-croûte nocturne. Deuxièmement, je ne crois pas que Cathrine m'ait jamais considéré comme un amant exceptionnel. Elle prétend que j'ai réussi un jour à lui procurer un anti-orgasme.

Cela, je ne le dis évidemment pas à Mahmoud. Ce n'était pas ses oignons. Histoire de faire diversion, je me levai et pointai du doigt l'eau en train de bouillir, et il alla s'occuper du café. Pendant ce temps, je jetai un œil dans le frigo, à la recherche d'une brique de lait Arla.

« Tu n'as pas d'Arla ? »

Il secoua la tête.

« Je ne bois pas de lait.

– Interdit par le Prophète ?

– C'est juste que je n'aime pas le lait.

– Pourquoi vous criez tout le temps "Arla est grand", alors ? »

Mahmoud me lança un regard vide.

Pourquoi faut-il que je dise des trucs comme ça, aussi ? Je venais de décider de lever le pied, mais les habitudes ont la vie dure.

« Pardon ! lançai-je tout de suite. Voilà que je recommence. Je fais pas exprès, ça sort tout seul. Humour danois, tu sais, c'était pas méchant. Pardon ! »

O.K., ce n'est pas si grave que ça non plus ! Je devrais pouvoir m'habituer à ne plus faire de petites blagues en permanence, c'est simplement une façon de parler. Mais peut-être que ces gens si susceptibles pourraient aussi s'habituer à l'ignorer ! Au lieu d'en faire tout un plat chaque fois qu'ils comprennent quelque chose de travers.

« Facétieux, tentai-je. C'était juste censé être facétieux. En ce qui me concerne, tu peux dire tout ce que tu veux sur Dieu, Jésus, ou la Vierge Marie, toute la bande.

– Parce que tu les prends pas au sérieux toi-même, oui ! Mais si je commence à faire des blagues sur ta famille, hein ? Ce divorce, ils en disent quoi, tes enfants ? »

Pour être honnête, je crois qu'ils disent félicitations. Mais je n'ai rien dit. Au cas où, ça aurait pu être drôle – on ne sait jamais.

À ce stade-là, je regrettai un peu d'avoir accepté l'invitation – le bureau faisait l'affaire. Mahmoud n'en démordait pas, il ne pouvait pas accepter que je ne sois pas profondément accablé par ce divorce.

« Vraiment, tu n'es pas tendre avec ta femme, commença-t-il.

– Vingt-huit ans, c'est une très longue période quand il s'agit de taire ce qu'on pense.

Tu vois, il se pourrait que j'aie stocké pas mal de choses à dire pour le moment où ça n'aurait plus d'importance.

– Tu n'as vraiment rien de positif à dire sur elle ?

– Si, acquiesçai-je. Elle n'est pas là.

– C'est triste, dit-il, visiblement accablé. Regarde-moi, trente-deux ans et je n'ai pas de copine. Ça me déprime.

– Que dit ta mère ? Ça la chagrine aussi ?

– Elle est furieuse, soupira-t-il. Si j'avais la chance d'être marié, je le resterais toute ma vie.»

Il versa le café et poussa une tasse vers moi.

Je n'arrivais pas à lui faire comprendre que c'était essentiellement un problème d'argent. Cathrine voulait tout garder. Enfin, tout sauf moi.

Et ce petit problème de finances était bien plus conséquent qu'on pourrait le croire. En gros, tous nos biens appartenaient à l'entreprise. C'est une astuce fiscale. Je n'appellerais pas ça carrément une combine, mais *il y a* des avantages.

Et l'entreprise était au nom de Cathrine. Ça aussi, c'est une astuce fiscale, et là, on peut peut-être envisager d'appeler ça une combine. C'était très malin, en tout cas. Très malin jusqu'à maintenant, où toutes mes bonnes idées me revenaient en pleine tronche, comme un boomerang. Je m'étais moi-même arrangé pour que tout lui appartienne !

Même l'avocat de l'entreprise ! Quand je lui ai demandé de sauver les meubles quant à cette histoire de divorce, il a haussé les épaules, l'air vaguement désolé. Il ne pouvait pas représenter les deux parties, avait-il répondu. Et il était l'avocat de l'entreprise, pas le mien.

Le type n'avait, à ma connaissance, pas échangé deux mots avec Cathrine en plus de quinze ans ! Le fait que tout lui appartienne n'est que pure façade.

L'avocat n'y pouvait rien. La villa, le bureau et la voiture, ça n'était pas pure façade. Et le compte en banque non plus. Voilà la réalité.

Comment suis-je censé trouver un autre avocat, quand mon compte en banque appartient à quelqu'un d'autre ? Les avocats sont très tatillons sur ce genre de détails. Je bus une gorgée de café. C'était... une expérience. J'ai dû afficher la tête d'un personnage de cartoon qui vient de prendre une enclume sur le pied. C'était la première fois que je goûtais le café de Mahmoud et, loin de moi l'idée de remettre en cause ce qui est sans doute le résultat d'une expertise plusieurs fois centenaire en préparation de café de tradition arabe... Mais je trouve quand même qu'ils devraient sérieusement envisager d'ajouter de l'eau. Ce que je décidai de faire. Sur-le-champ.

Je me levai pour faire chauffer un peu d'eau. Quand j'allumai la bouilloire, l'enfer se déchaîna de nouveau.

La bouilloire partageait une double-prise avec le réveil de Mahmoud, et je n'étais en aucun cas préparé à la rediffusion. La machine infernale se mit à clignoter, je suis plus ou moins persuadé qu'elle sautillait sur place aussi, le tout rythmé par le type en haut de sa tour en train de réveiller tout le village par ses hurlements.

Mahmoud se précipita pour éteindre.

« Pardon », dit-il. Il n'y avait pas vraiment de raison. C'était moi qui avais appuyé sur l'interrupteur. Je me laissai aller contre la table et tentai de reprendre le contrôle de ma respiration.

Puis je posai la tasse de café – projet abandonné – et sortis ma trousse de toilette et des vêtements propres de la valise.

Je voulais voir ce que cette douche avait dans le ventre. Mahmoud me suivit dans la salle de bains.

« Voilà, il y a des serviettes empilées sur la machine à laver », dit-il.

C'était exact. Une jolie pile de serviettes, soigneusement

pliées et entourées d'adorables rubans rouges. Avec un nœud.

« C'est ta mère qui entoure chaque serviette d'un ruban rouge ? » Il fallait que je sache.

Mahmoud hocha la tête. C'était pour différencier à coup sûr celles qui avaient été utilisées des autres.

Pratique, admettons-le.

Il s'installa dos à la porte et continua de converser.

« Tu es sûr que tu en as bien discuté avec ta femme ? » Je le fixai. Ce qu'il proposait était totalement hors de question. Habituellement, je préfère être seul quand je me lave, mais il semblait programmé pour me faire entendre raison, d'une façon ou d'une autre. Je commençai à déboutonner le haut de mon pyjama – jusqu'où faudrait-il aller pour se faire comprendre ?

« Les époux se doivent de communiquer, reprit-il, d'autant plus s'il y a un malaise dans le couple. »

Malaise ! En route pour le Guinness, catégorie euphémisme. Je toussotai de façon démonstrative, mais il ne manifestait toujours pas la moindre intention de quitter la pièce.

« Tu veux peut-être te laver en premier ? demandai-je.

– Non, pourquoi ? répondit-il d'un air surpris.

– Quand je vais mettre en marche la douche, ça va t'éclabousser, vu qu'il n'y a pas de rideau.

– C'est pas grave, dit-il avec un sourire avenant, je peux aussi sortir et fermer la porte. »

En voilà une bonne idée ! Il pouvait faire ça, oui, bien vu.

« On peut quand même continuer à parler, reprit-il, je vais juste parler plus fort.

– On peut aussi faire une petite pause », proposai-je.

Il eut l'air légèrement déçu quand je refermai la porte derrière lui.

Enfin, le calme. Je jetai un regard circulaire dans la petite salle de bains. C'était la première fois que je me trouvais dans une salle d'eau musulmane, et de là, je pouvais témoigner que ça ressemble en tous points aux salles d'eau de n'importe quelle autre confession. En dehors des rubans rouges sur les serviettes. Il y avait un déodorant d'une marque qui m'était inconnue. Je ne pouvais pas lire l'étiquette, c'était écrit avec ces caractères alambiqués. Kebab Special, que sais-je encore ? Roll-on Toutânkhamon, peut-être. Je dévissai le bouchon et reniflai. L'odeur était aussi violente que celle de n'importe quel autre déodorant. Qui sait s'il ne fallait pas se convertir pour l'utiliser ? Peut-être que je devrais demander à l'emprunter ? Les épiciers du coin arrêteraient peut-être de vouloir m'entuber. J'abandonnai l'idée. À 13 h, j'avais rendez-vous avec un client de la filière viande. Il n'allait sans doute pas apprécier l'odeur.

Je pris enfin ma douche. Merveilleux !

Quand je sortis de la salle de bains, Mahmoud avait fait un peu de rangement. Le canapé était redevenu un canapé, et plus un couchage improvisé.

Il avait refait du café, déjà versé dans les tasses, et tenait dans sa main la pochette d'un vieux vinyle.

« C'est Nat King Cole ! » annonça-t-il fièrement.

Là, j'étais scié. Un vinyle !

« Cela fait des lustres que je n'ai pas écouté un vinyle », répondis-je sans pouvoir réprimer un sourire. C'était une bonne surprise.

« Tu n'as peut-être pas écouté de musique durant ces vingt-huit dernières années ? demanda-t-il.

– De la musique chez nous ? »

Ça ne me disait rien, il me semblait que non. Ça aurait sans doute paru déplacé.

« Je les collectionne, expliqua-t-il. C'est mon hobby. J'ai un faible pour cette époque – l'ère des vinyles. Le temps où un pick-up n'était pas juste un utilitaire. »

Je m'en souvenais, bien entendu. D'ailleurs, j'en avais eu

pas mal étant jeune, mais je ne les avais pas gardés. Avec quoi les aurais-je écoutés aujourd'hui ?

« J'en ai des tas », dit-il fièrement.

Et c'était vrai. La veille au soir, j'étais entré dans l'appartement et m'étais écroulé sur le canapé sans vraiment regarder autour de moi, mais maintenant je les voyais. Il y avait des étagères partout, du sol au plafond, remplies de vinyles. Il devait y en avoir pour une fortune. Je ne sais pas si les vinyles se sont maintenant affranchis de la situation de pure marchandise, s'ils sont devenus assez rares pour avoir une réelle valeur. C'est un peu comme les timbres. Sauf que les disques prennent plus de place.

« Le son est tout à fait différent, par rapport au digital. Il est plus rond, écoute ! »

Il s'empressa de placer un autre disque sur la platine, pas celui de Nat King Cole.

« Celui-ci est rare ! Tu le connais, et en même temps tu ne le connais pas tout à fait ! »

Il cacha la pochette derrière son dos. Il fallait que je devine. Et ça n'était pas très dur.

You must remember this
A kiss is just a kiss,
A sigh is just a sigh.
The fundamental things apply
As times goes by.

« Qui ne connaît pas ? demandai-je.

– Oui, mais qui chante ? » Il s'agitait sur place avec un grand sourire, la pochette toujours cachée.

Je le savais. Tout le monde a chanté cette chanson de Frank Sinatra, jusqu'à notre idole nationale, Michael Carøe. Mais cette version était signée par l'archi-vieux chanteur américain Jimmy Durante qui, à ma connaissance, devait déjà être plus âgé que sa mère le jour où elle l'a mis au monde. Il se frayait un chemin à travers la chanson avec une voix terriblement rauque et dure, mais pas sans un certain charme. Cependant, quand Mahmoud me redemanda qui chantait, j'étais tenté de répondre : personne. Je m'en abstins, il était tellement fier de cet album. Et il fut surpris quand je répondis juste.

Nous restâmes un moment à écouter la musique sans un mot. Une petite perte de temps, me semblait-il.

« Excuse-moi, Mahmoud, dis-je enfin, quand ma patience frôla ses limites. Je ne suis pas vraiment d'humeur à ça, on est en plein milieu de la nuit et...

– Pardon ! coupa-t-il en se précipitant pour enlever le disque. Je n'y avais pas pensé, il doit dater de l'époque où tu as rencontré ta femme, vous avez peut-être dansé en l'écoutant...

– Ce n'était pas exactement ce que je...

– C'était très indélicat de ma part, bien entendu, les sentiments sont tout à fait...

– C'est le même café que tout à l'heure ? » demandai-je. J'étais prêt à m'accrocher à n'importe quel autre sujet.

Il hocha la tête fièrement.

« Alors il vaut sans doute mieux que je le dilue un peu. Tu as un verre doseur ? »

Je me levai et allai faire chauffer un peu d'eau.

Et je refis la même erreur !

Bon sang !

J'avais oublié que le réveil fou furieux partageait son interrupteur avec la bouilloire.

Je fis un tel bond que Mahmoud ne put s'empêcher de rire. Et quand je le vis, hilare, je me mis à rire aussi.

Ce fut comme un abcès qui se perce, et nous étions là à rire d'une façon libératrice, tous les deux. Jusqu'à ce que Mahmoud se décide à arrêter le vacarme.

« Tu ne pourrais pas les brancher à des endroits différents ? » dis-je en me laissant tomber dans le canapé. Bien sûr, qu'il pouvait. Ça n'avait simplement jamais posé de problème jusqu'à maintenant.

Un fou rire est toujours un bon point de départ pour une discussion sérieuse, et Mahmoud saisit la chance au vol en s'asseyant à côté de moi sur le canapé.

« Vous avez essayé de repenser à l'époque où vous vous êtes rencontrés ? demanda-t-il d'un ton pénétrant. Vous concentrer sur toutes les bonnes choses que vous avez vécues ensemble ? »

Ce fut comme si on avait éteint d'un coup toute la bonne humeur qui commençait à s'installer en moi. Ne pouvait-il pas comprendre que je n'avais pas envie d'en parler ? Je regrette souvent d'être trop poli pour regarder de temps à autre les gens droit dans les yeux en disant quelque chose du genre : « Tu peux pas fermer ta gueule ? »

C'est pourquoi rien n'empêcha Mahmoud de continuer.

« Et si vous essayiez de remonter le temps ? s'enthousiasmait-il. Aller quelque part, juste tous les deux, une île tropicale par exemple, pendant une quinzaine. Deux semaines comme ça, ça pourrait être génial !

– Pendant un temps, oui, répondis-je en lui lançant un regard noir. Mais un divorce, c'est quelque chose dont on peut se réjouir à vie ! »

Mahmoud avait l'air perdu.

Ça ne lui faisait pas de mal, voilà ce que je me disais. Pourquoi les gens veulent-ils toujours sauver les autres ? Quand on est malade, il y a toujours quelqu'un pour vous dresser une liste de commissions pour la pharmacie, ou connaître le meilleur chiropracteur au monde, ou vous imposer le numéro de téléphone d'un acuponcteur indonésien voyant extralucide. Quand il s'agit de soucis économiques, ça ne rate pas, on vous conseille un jongleur fiscal hors pair. Les véritables crétins donnent même parfois *mon* numéro !

Et si on veut divorcer, ça ne manque pas de gens qui cherchent à nous convaincre qu'en fait, on ne veut *pas* divorcer.

Ça me fatigue !

La situation en général commençait à me fatiguer. Mahmoud était certes plein de bonnes intentions, mais j'en avais ma claque de subir des réveils qui hurlaient, des sonneries de téléphones suivies de femmes qui hurlaient tout autant, mon assistant en caleçon qui, d'un coup, se mettait à hurler aussi, et quand on décidait de se faire du café pour faire passer tout ça, on appuyait au mauvais endroit. Et la saloperie de réveil se remettait en marche, à toute berzingue.

À cet instant, on sonna à la porte, et quelqu'un se mit à cogner du poing.

En hurlant.

Je ne pourrai jamais habiter à Avedøre.

Chapitre 2

De la colère qui saisit la jeune fille jutlandaise.

J'étais paralysé sur le canapé quand Mahmoud se précipita vers l'entrée. Quelqu'un tambourinait sur la porte, le doigt enfoncé sur la sonnette. Le vacarme prit fin quand Mahmoud ouvrit, hélas immédiatement remplacé par une stridente voix de femme.

« *Trois fois !* hurla-t-elle. Dis-moi, tu te crois sur une île déserte ? »

J'avais très envie de m'enfoncer dans le canapé, de presser un coussin marocain contre chacune de mes oreilles et de faire abstraction de tout ce foutoir. Mais c'était impossible. Je ne pouvais pas éviter d'entendre les cris venant du palier.

« *Trois fois !* Chaque matin à 4 h 30, toute la cage d'escalier doit se taper les conneries de ton mollah-truc, là ! Et on s'y est fait ! On avait les boules, mais on s'y est fait.

– Pardon… tenta Mahmoud, mais la femme ne lui laissa pas le temps d'en placer une.

– Nuit après nuit ! Mais *trois fois !* Là c'est trop, la fête est terminée ! Où est cet engin ? »

Elle passa devant mon jeune assistant médusé et surgit dans le salon, jetant des regards tous azimuts.

La jeune femme devait avoir une trentaine d'années. Elle avait la beauté qu'on arbore habituellement après un réveil violent, et avait enfilé une robe de chambre à la va-vite. Sa coiffure fêtait gaiement son indépendance.

Mahmoud débuola juste derrière elle.

« Pardon… essaya-t-il encore.

– Sans déconner, il faut qu'on se farcisse *trois* monologues musulmans maintenant ? T'es fada ? Hein ? Où est l'engin ? »

Mahmoud, en état de choc, pointa du doigt le réveil.

« Parfait, je l'embarque, rugit-elle en se dirigeant vers la table. Je le vole pas, je le confisque ! Tu peux venir le chercher, si tu le veux comme cadeau d'adieu ! »

Et elle arracha la fiche de la prise.

J'ai malheureusement une tendance naturelle à vouloir aider. C'est pourquoi je me levai tout à fait instinctivement pour lui signaler son erreur.

« Non, pas celle-là ! m'écriai-je, c'est la bouilloire. Les deux appareils partagent une multiprise.

– Merci », dit-elle en retirant la bonne fiche d'un geste agacé. Elle enroula le câble et cala le réveil sous son bras. Puis elle se figea, réagissant avec un léger retard. Elle n'avait pas remarqué ma présence jusque-là.

Elle me regarda de haut en bas comme si elle n'en croyait pas ses yeux.

« Vous habitez ensemble ? demanda-t-elle alors.

– Non, non, se dépêcha de répondre Mahmoud, c'est mon patron !

– Je suis là juste pour une nuit », dis-je en essayant d'adopter un ton rassurant.

Elle nous regarda successivement, et on pouvait voir la désapprobation envahir son visage.

« Bon Dieu, siffla-t-elle à mon intention, tu pourrais être son père.

– Non », s'empressa Mahmoud, parce qu'à coup sûr ce n'était pas le cas. Mais il avait raté une occasion de la boucler.

« Tu crois que je suis fada ? lui retourna-t-elle brusquement. Vous qui déblatérez sur la déchéance morale du reste du monde, tiens ! »

Vint le moment de voler à son secours.

« Non, tu ne comprends pas... Il n'est pas... Il est... » Puis je dis quelque chose de vraiment stupide. « Il vient d'Amager ! »

La fille me regarda, stupéfaite. Je ne sais pas exactement pourquoi j'avais sorti cette énormité. Qu'il soit d'Amager est, dans cette situation, à peu près aussi peu pertinent que le fait que je sois son directeur. Mais il y avait un petit quelque chose chez elle qui rendait les hommes confus.

« Ah, il vient d'Amager, c'est super. Félicitations ! » Puis elle décida qu'elle avait sa dose, et se dirigea vers la porte, le réveil musulman de Maman sous le bras.

« Bonne nuit, gronda-t-elle. Vous pouvez vous amuser tous les deux comme ça vous chante. Tant que vous la bouclez. »

Mahmoud voulut s'excuser encore une fois, mais elle ne lui laissa même pas le temps de prononcer un mot.

« T'es fada ? Je veux la paix ! On peut se mettre d'accord là-dessus ? »

Puis elle disparut dans le couloir.

Fada... Encore ?

« Tu ne comprends pas, Lærke, lançai-je.

– Possible, fit la voix depuis le palier, mais contentez-vous de fermer vos... »

Puis il y eut un silence, et j'entendis les pas dans l'escalier s'arrêter. Puis la jeune femme revint résolument dans l'appartement.

« Re-bonjour, dit Mahmoud avec un grand sourire. Tu veux t'asseoir ? »

Elle l'ignora totalement et continua de me fixer droit dans les yeux.

« Comment tu sais que je m'appelle Lærke ? »

Apparemment, ça mordait, je continuai donc.

« Hellmann, tentai-je. Non, ce n'est pas ça... Ah ! Pas Hellmann, Neumann, je crois.

– Neumann, oui. » Elle acquiesça. « Tu es allé reluqué ma porte, ou quoi ? »

Je n'avais rien reluqué du tout, mais j'étais maintenant certain de bien me souvenir. « Tu es de Hirtshals ?

– T'es qui ? Qu'est-ce que tu veux ? » demanda-t-elle avec méfiance. Il y avait quelque chose qui lui échappait, et elle n'en avait visiblement pas l'habitude.

Je haussai les épaules. « Juste un type qui passe la nuit ici.

– C'est vrai, assura Mahmoud, juste une nuit !

– Toi, tu la boucles ! »

Elle n'était pas disposée à perdre du temps avec lui. C'était moi, le nœud de l'intrigue.

« Qui es-tu ? Ce n'est pas marqué que je viens de Hirtshals, sur ma porte.

– Je m'appelle Maurice Johansen.

– Très exotique, comme nom », admit-elle. Mais elle n'avait pas l'air de considérer ma réponse comme suffisamment exhaustive.

« Je suis comptable.

– Dis donc, ça devient franchement festif ! »

C'était vrai – je m'appelle Maurice Johansen, et je suis comptable. On ne demanderait pas grand-chose de plus à un prisonnier de guerre, même au cours d'un interrogatoire des plus inquisitoriaux. Des chiffres, à la limite.

Mais il valait mieux que je l'aide à faire le lien. Je m'étais basé sur un souvenir un peu incertain, mais étais visiblement tombé juste.

« C'était il y a plus de dix ans, commençai-je. J'ai aidé ton père avec sa compta, pour son affaire d'exportation de poisson.

– Aha ! dit-elle alors, le visage éclairé. Là d'un coup, je ne comprends plus rien à toutes ces conneries ! »

Dix ans plus tôt, Cathrine et moi avions emmené les enfants à Tversted, dans le nord du Jutland, où nous avions loué une maison d'été. Juste à côté de Hirtshals. Un jour, je m'étais rendu au port pour acheter du poisson frais à un pêcheur. Normalement, c'est interdit – les pêcheurs n'ont pas le droit de vendre directement aux particuliers. Paraît-il qu'on craint qu'ils vendent au noir et trichent sur la TVA.

Évidemment qu'ils trichent sur la TVA ! C'est vraiment dingue de s'obstiner avec une loi qui n'a de toute façon jamais vraiment pris dans le nord du Danemark.

En arrivant par le sud, juste après le tunnel de Lims-fjorden, dans Vendsyssel, on peut se garer sur une petite aire de repos où on vend du poisson au noir. Dans ces contrées reculées, l'économie se résume à quelque chose qu'on stocke au congélateur, sous les appentis ou dans une remorque derrière sa voiture. Pourquoi s'obstiner alors que c'est un combat perdu d'avance ? Mais les autorités persistent sur l'interdiction de vente de poisson frais. En pure perte.

J'avais immédiatement entamé les négociations avec un pêcheur qui avait tout un tas de poissons frais dans sa cale. Un bien-nommé six-packs, c'est-à-dire six canettes de bières du kiosque du port, avait également rejoint mes acquisitions. Il s'agissait de bières allemandes, Flensburger Pilsener, bonnes et significativement moins chères que les Tuborg que j'achetais chez moi.

Je m'étais donc installé avec le sympathique pêcheur pour siroter mon achat. Et il doit exister une loi de la nature indiquant que, lorsque deux hommes s'assoient avec six bières, quatre autres types surgissent forcément dans les minutes qui suivent. Je ne sais pas d'où, ni pourquoi, mais ils surgissent, c'est tout.

Ce fut un moment agréable, d'autant que l'alternative la plus probable aurait été de rester à la maison avec Cathrine et de se disputer. Les enfants étaient alors des ados aguerris et ne daignaient pas donner signe de vie avant l'heure du déjeuner.

La mélancolie s'immisça dans notre petite compagnie assise sur le quai quand ils commencèrent à parler de la vitesse à laquelle six bières s'envolent quand il y a six hommes pour les boire. J'étais de bonne humeur et avais immédiatement investi dans six Flensburger Pilsener de plus. Ça comptait beaucoup pour la pérennité de cette conversation, que je n'hésitais plus à considérer comme joviale.

Ils étaient pêcheurs – ça, ils n'avaient pas besoin de me le dire. Ça se voyait – personne ne se balade volontairement en salopette en caoutchouc, si ?

Alors je leur dis que j'étais comptable.

J'aurais peut-être dû m'abstenir, parce que l'ambiance se fit immédiatement beaucoup plus réservée.

Je m'empressai de dire que le travail d'un comptable consiste principalement à aider les gens à se *protéger* contre le fisc.

Cela détendit l'atmosphère. Ils se regardèrent entre eux, puis m'observèrent avec des mines bien plus approbatrices.

L'un d'entre eux se racla la gorge, puis porta son regard à l'horizon :

« Tu es ici pour quinze jours, c'est ça ? » demanda-t-il en examinant un fil qui sortait de son pull.

Je ne pouvais que confirmer, puisque je venais de le leur dire.

Il hocha longuement la tête. Jusqu'à ce que le fil de son pull se casse sous la tension.

« Et t'aimes le poisson ? » fit-il alors.

Ça aussi, je ne pouvais que le confirmer, puisque c'était ce que j'étais venu chercher.

Il hocha de nouveau la tête, un peu plus longtemps qu'auparavant.

Puis il me parla de son beau-frère.

Ledit beau-frère était un homme aisé. Pour le moment, du moins. Il était exportateur de poisson, vendait les marchandises de mes compagnons à l'étranger, et ils étaient tous assez dépendants de lui. Le type avait eu des problèmes plutôt conséquents avec les autorités, et s'il ne trouvait pas de solution rapidement, il était bon pour mettre la clef sous la porte. Et ça leur retomberait dessus à tous.

« Mais enfin... Il n'y a pas d'autres exportateurs de poisson dans le coin ? » demandai-je.

Siiii... Il y eut un léger marmonnement dans l'assemblée. Mais il y avait une bonne entente avec celui-là précisément ! Les tarifs étaient les mêmes que chez les autres, mais avec lui, c'était comme s'ils en profitaient un peu plus.

« Et puis, comme je te le disais, c'est mon beau-frère ! » dit celui qui avait mis le sujet sur le tapis. Les autres hochèrent la tête énergiquement. Il faut toujours prendre des dispositions particulières quand quelqu'un est le beau-frère de quelqu'un d'autre.

Et tout semblait indiquer qu'il y aurait du poisson frais gratuit jusqu'à la fin de mes vacances si je voulais bien employer quelques petites heures pour jeter un œil à la comptabilité du beau-frère. C'était un homme très sympathique, mais ses comptes n'étaient pas tout à fait... Il était un peu brouillon.

Ils hochèrent tous la tête vivement. Ils étaient unanimes : le type était brouillon.

En fait, je n'avais rien contre leur proposition. On finit par avoir la bougeotte, à rester assis pendant quinze jours dans une maison d'été dans laquelle on n'a pas envie de rester assis. Mais il devait bien y avoir des comptables dans le coin, non ?

Siiii... L'horizon fut soigneusement examiné à nouveau. Mais c'était qu'ici, dans le coin, tout le monde se connaissait, et tout le monde était de la famille de tout le monde – que ce soient les gens ou les autorités. Ce qui était naturellement très bien, et signifiait que l'on pouvait régler les éventuels problèmes de façon plus... disons plus ronde qu'à d'autres endroits du pays. Mais parfois, cela signifiait justement qu'on ne pouvait *pas*...

Les cinq pêcheurs regardaient droit devant eux en acquiesçant, l'air impénétrable, comme si chacun d'entre eux voulait me persuader que les quatre autres avaient raison.

Je fis mon choix. Bon sang ! Pourquoi pas ?

L'un d'entre eux s'en fut chercher le beau-frère, et les autres voulurent acheter six, ou plutôt sept Flensburger Pilsener de plus. Je déclinai poliment la proposition. Je conduisais. Ils échangèrent quelques regards, bouche bée, puis décidèrent d'éviter tout commentaire.

Pour faire court : le beau-frère débarqua avec ses comptes, que je pris sous le bras et emmenai chez moi. Pendant que je m'éloignais, j'entendis le début d'une nouvelle discussion animée, quand le beau-frère apprit que les dernières bières avaient été inscrites sur son ardoise.

Regarder les comptes ne me prit pas que quelques heures. Il me fallut presque deux jours. Et Cathrine n'était pas contente du tout, mais on ne pouvait pas vraiment parler de bouleversement majeur à ce sujet.

Le beau-frère n'était pas un peu brouillon. Il était *définitivement* terriblement brouillon. On se contente de le dire comme ça ?

Une fois ma tâche terminée, je me rendis chez lui pour lui remettre ses documents. Je crois que je peux dire, de façon modeste et un tantinet familière, mais très pertinente, que je lui ai sauvé les miches.

Il y avait évidemment une sacrée disparité entre deux jours de travail de comptabilité, flirtant avec l'illégalité, et quinze jours de poisson gratis pour toute une famille. Les enfants en devinrent presque agressifs la deuxième semaine et furent autorisés à aller prendre leurs repas en ville. Mais je m'y faisais, et me rendais chaque matin de bonne humeur au port chercher mon poisson et la Flensburger offerte en prime.

Voilà le gros de l'histoire, et on peut raisonnablement se demander quel est le rapport avec une femme furax au septième étage d'un immeuble d'Avedøre ? Mais c'est exactement la raison pour laquelle j'avais deviné le prénom de Lærke.

Car quand j'ai ramené les papiers à l'exportateur de poisson Neumann, la porte de la cuisine était ouverte, et j'ai entendu une ado se disputer avec sa mère. J'y ai peut-être prêté un peu plus d'attention qu'un autre, parce que j'avais moi-même une ado à la maison à ce moment-là. Et je reconnaissais le ton. Et il y avait cet étrange mot : fada. Elle traitait sa mère de *fada* !

Cela m'avait étonné – pas en soi, la fille avait peut-être raison. Le terme « fada » n'est pas spécialement rare, mais c'est une expression du Sud ! C'est pourquoi il était étrange d'entendre une jeune fille du Nord l'employer.

Était-elle allée au lycée dans le Sud ? Peut-être. Pour une raison ou une autre, cela resta dans un coin de ma tête lorsque je pris congé et rentrai à la maison d'été. Puis, cela avait dû se loger au fond de mon subconscient.

Le cerveau, c'est quelque chose d'étrange... Oui, chez les comptables aussi. Car quand la femme en colère se tenait dans l'appartement de Mahmoud et l'appelait fada à tour de bras, quelque chose avait commencé à sonner dans ma tête, et des images de cette époque refirent surface. Et les images aident la mémoire.

Elle s'appelait en effet Lærke Neumann, et son père était exportateur de poisson. C'était bien ça.

Et voilà qu'elle se tenait avec le réveil musulman sous le bras, me fixant d'un air ébahi.

« Arrête ça, bonhomme, dit-elle, ça fait dix ans. Tu peux pas te souvenir de moi. J'ai énormément changé.

– C'est vrai, je ne me souviens pas de quoi tu avais l'air. Mais je me souviens de ce que tu disais. Ensuite, il suffit d'ajouter deux et deux.

– O.K., on se lance dans les mathématiques. »

Elle avait l'air particulièrement irritée.

« Je ne me souviens pas du tout de toi !

– Je portais une cravate, proposai-je.

– Ah bon ! Ça doit être ça, alors, va savoir ! »

41

Elle secoua la tête et se dirigea droit vers la porte.

« Bonne nuit, ami de mon père ! » dit-elle avec une amabilité excessive. Puis elle se tourna vers Mahmoud pour la première fois et lui dit, à lui, sans amabilité excessive :

« Et toi, tu peux employer le reste de la nuit à te demander si tu habites à la bonne adresse. T'es une plaie pour tout l'immeuble depuis des lustres, là, c'était la goutte de trop. C'est terminé ! Pigé ? Ou est-ce que t'es totalement fad... »

Elle s'interrompit, et je pris soin de regarder partout sauf vers elle. Puis elle tourna les talons et disparut sur le palier. On l'entendit grimper les escaliers lourdement et claquer la porte de son appartement.

Il y eut un instant de silence, puis une porte s'ouvrit un étage plus bas, et une voix d'homme demanda :

« Il y a quelqu'un ? »

Mahmoud et moi restions là à fixer l'espace que Lærke avait laissé vacant. Pratiquement en transe. En tout cas, elle ne pouvait pas se plaindre de ne pas faire impression !

Par distraction, je bus une gorgée du café de Mahmoud. Cela me ramena immédiatement à la réalité.

« Bon, c'était une réaction excessive, Mahmoud, dis-je, un rien choqué. Cette fille doit avoir un souci latent quelque part. Je pense que tu devrais aller sonner chez elle demain. Tu n'as pas à accepter ça, elle est totalement hystérique ! Et très désagréable. »

Je pouvais parfaitement comprendre sa rage, rapport au réveil. Pour autant, il n'était pas nécessaire de déclencher un ouragan.

Mahmoud se tourna lentement vers moi, avec des grands yeux brillants.

« Maurice, dit-il. Je crois que je suis amoureux. »

Chapitre 3

Ou comment ne pas posséder ce qu'on a, ou ne pas avoir ce qu'on possède.

Nous avions évidemment des tas de choses à nous dire ce matin-là. Mahmoud refit plein de café, et je fis bouillir encore beaucoup d'eau. Il n'y avait maintenant plus de danger à utiliser la bouilloire.

Mon jeune assistant faisait des siennes. Il ressentait un terrible besoin d'aller sonner chez sa voisine pour lui proposer une tasse de café, en guise d'excuse. Je parvins à le convaincre que cela n'avait aucune chance de modifier l'humeur de la demoiselle de façon notable.

Il m'assurait qu'il avait déjà eu des liaisons auparavant, mais que jamais aucun sentiment ne l'avait retourné comme cette fois...

Oui, il a vraiment dit ça.

Quatre minutes, maximum ! Voilà le temps qu'il avait passé dans le salon avec l'autre folle. Est-ce que ça n'était pas un peu léger pour tirer de si grandes conclusions ?

Pas du tout ! Les autres filles, il les avait connues bien plus longtemps que quatre minutes, sans jamais ressentir cette sensation grisante. D'un côté, je pouvais le comprendre. D'après ma propre expérience, la sensation grisante est inversement proportionnelle à la longueur de la relation.

Mahmoud me trouvait aigri et disait que je ne voulais pas laisser sa chance à l'amour. Sérieusement ! Je venais d'attendre pendant vingt-huit ans une sensation grisante qui avait fait la timide. C'est quand même donner une sacrée chance, non ? Qu'il ne me qualifie pas d'aigri !

« C'est en rapport avec l'innocence et la pureté du cœur »,

dit-il. L'innocence et la pureté ? Le garçon savait-il à qui il s'adressait ?

Le métier d'expert-comptable est l'innocence même. Une profession qui ne peut être exercée que par des gens au-dessus de tout soupçon. Le plombier travaille au noir, le restaurateur magouille, l'avocat fraude même pendant les pauses, et ainsi de suite. Ça ne fait pas réellement partie de la définition de chacun de ces métiers, mais ça ne surprend personne. Même les instituteurs sont rarement tout à fait blancs.

Bien entendu, un comptable peut conseiller son client de manière à ce qu'il se retrouve dans la mouise. Ou alors, donner l'impression qu'il vient juste d'en sortir. Par exemple, l'exportateur de poisson. Mais c'est le client qui décide ! Pas le comptable !

Chaque travail de comptabilité se termine par ce qu'on appelle une décharge de responsabilité, stipulant que quoi qu'il arrive, ce n'est pas la faute du comptable. Le client signe un document affirmant que le comptable est innocent. J'ai des tas de documents prouvant que je suis l'innocence même !

Mahmoud gloussa un peu.

« Tu es quelqu'un de très pragmatique, Maurice. Au fond, tu ne crois pas à des trucs comme l'amour au premier regard. »

Foutaises ! C'est même le contraire ! Je ne crois pas à l'amour après plus ample connaissance.

Mais il fallait qu'on y aille. Je ne voulais pas que la seule conséquence visible au fait que j'avais dormi chez lui soit qu'on arrive tous les deux en retard au bureau.

Ce que nous avons quand même fait. Il était 11 h à notre arrivée, parce que je m'étais endormi sur une chaise pendant qu'il se lavait. Et il m'avait laissé dormir.

Il a insisté pour que ma valise reste chez lui, mais je

n'étais pas d'accord. J'ai vaguement marmonné que j'avais d'autres plans. Comme dormir chez une sœur. Vu que je suis fils unique, je n'ai pas précisé la sœur *de qui*. Je ne voulais pas le blesser en lui disant que j'envisageais de retourner dormir au bureau.

À notre arrivée, la clef ne passait pas dans la serrure. C'était étrange. J'essayai pendant un bon moment, et Mahmoud tenta avec sa propre clef.

Puis nous remarquâmes qu'il y avait du bruit à l'intérieur. On remuait quelque chose, et on pouvait entendre des voix.

Une intrusion !

Nous redescendîmes l'escalier discrètement et retournâmes sur le trottoir. C'est dans ce genre de situation que l'on fait appel à la police. Aucun de nous ne voulait prendre de risques. Je composai le 112, et fus agréablement surpris de ne pas passer par un long standard téléphonique. J'entrai immédiatement en contact avec une personne.

Une dame très efficace, qui nous dit que nous ne devions surtout pas prendre d'initiative. Ils avaient une équipe dans le coin et seraient là dans quelques minutes.

Il s'en passa cinq.

Puis quelqu'un ouvrit la fenêtre de mon bureau et mon avocat sortit la tête. « C'est toi qui as appelé la police, Johansen ? »

Surprise ! Que pouvait bien faire mon avocat dans mon bureau en mon absence ? Comment était-il entré ? Comment pouvait-il savoir que j'avais appelé la police ?

Mahmoud se colla contre le mur et cria :

« Ne faites rien d'inconsidéré ! La police est en route !

– La police est ici, répondit l'avocat.

– Qu'est-ce que tu fais dans mon bureau ? lui criai-je. Aucune de nos clefs ne fonctionne.

– Suffisait de sonner.

– Je ne sonne pas à ma propre porte, mon gars ! Pourquoi la police est là ? »

Puis il demanda s'il était nécessaire de continuer la discussion en hurlant de la fenêtre au trottoir. Dans le fond, on pouvait entendre une voix de femme le prier de fermer la fenêtre, à cause du courant d'air. Elle avait une sinusite, disait-elle. L'avocat acquiesça par-dessus son épaule et nous fit signe de monter – la porte était maintenant ouverte.

Qu'est-ce que c'était agaçant ! Mahmoud et moi remontâmes l'escalier, jusqu'à la porte du bureau.

Il y avait plusieurs personnes à l'intérieur, dont deux agents de police en uniforme.

« Le central a appelé, dit l'un des deux, ils disent que quelqu'un les a contactés pour se plaindre d'une intrusion. Mais il n'y a pas d'intrusion ici.

– Il y a plusieurs personnes qui se sont introduites ici, répondis-je en le regardant droit dans les yeux.

– Nous sommes la police, répondit-il, indigné. La police ne commet pas d'intrusion !

– Ah, vous avez un autre mot pour ça ? »

Les deux agents se firent un peu nerveux, et l'un d'eux se mit à marmonner quelque chose à propos d'une « clef de bras ».

L'avocat intervint.

« Je crois que nous devrions tous nous calmer, je vais clarifier la situation.

– Oui merci, ce serait super, répondis-je.

– Je dois prendre des notes ? » demanda Mahmoud.

Je secouai la tête. Je ne risquais pas d'oublier ce qui se passait là.

« Asseyez-vous, je vous en prie », annonça l'avocat avec un sourire en tendant le bras vers la table de conférences. *Ma* table !

« Et permettez-moi de vous proposer une tasse de café. »

C'était aussi *mon* café ! Cette raclure s'était permis de faire du café !

« Non merci, rétorquai-je, mes valeurs ont évolué. »

Mahmoud se redressa d'un bond et sourit. Puis tout le monde s'assit, et l'avocat s'installa face à nous. Quand les avocats doivent expliquer quelque chose, ils s'installent d'une façon très particulière. À croire que ça fait partie de leur formation, dès la deuxième année. Ils placent les coudes sur la table, et joignent les dix doigts par le bout. À moins qu'ils aient un stylo – troisième année – dans ce cas, ils prennent le stylo par les deux bouts et font sortir et rentrer la pointe en parlant.

Cette fois, c'était la version un, sans le stylo. Je devais être son premier dossier de la journée, et il n'était sans doute pas encore passé dans un bureau distribuant des stylos d'entreprise gratuits.

« Tôt ce matin, j'ai été contacté par le propriétaire de ce cabinet », commença-t-il. Je fus tout d'abord perturbé. Le propriétaire, c'était moi. Et puis cela fit tilt. Cathrine ! Qu'avait-elle encore été inventer ?

« Elle était très choquée, continua l'avocat. J'ai cru comprendre que la nuit avait été vraiment traumatisante pour elle. Il y a eu menace d'intrusion et risque d'emploi de la violence. Elle t'a appelé, et tu as refusé de lui porter assistance, avant de proférer des remarques dégradantes sur votre vie commune.

– Ce n'est pas tout à fait vrai, intervins-je. Et les remarques sur notre couple n'étaient pas moitié aussi dégradantes que la vie commune elle-même. »

L'avocat leva ses mains ouvertes avant de leur faire reprendre leur position d'origine.

« Je ne peux qu'en référer à ce que ma cliente a déclaré. C'est sur cela que je dois me baser. Elle a dit que tes propos étaient incohérents et entrecoupés de longues pauses.

– Je parlais dans deux téléphones différents. Je parlais aussi à sa mère. »

Je pointai Mahmoud du doigt, qui acquiesça pour confirmer.

« Tu parlais à la mère de ton assistant ? En pleine nuit ?
– Oui. À 4 h 30. »

L'avocat consulta ses papiers.

« D'après ma cliente, il était 4 h 37.

– Oui ! hurlai-je en tapant du plat de la main sur la table.
Viens-en au fait, mon gars ! »

Les deux agents de police se lancèrent des regards en coin. Il est difficile de lire les regards, mais je suis à peu près sûr que les yeux de l'un posaient la question : Clef de bras ? L'autre secoua la tête et posa une main apaisante sur le bras de son collègue, mais recula en même temps un peu sa chaise pour être prêt à me sauter dessus si nécessaire.

Pour résumer, Cathrine avait appelé l'avocat à 4 h 42 et dit que maintenant sa patience était à bout. C'en était fini d'arrondir les angles et de faire preuve d'indulgence. Elle ne supportait plus l'incertitude de toute cette procédure. Il fallait tracer des lignes claires. Elle lui avait donc demandé de tracer immédiatement des lignes claires, le temps que le divorce en lui-même soit enfin prononcé.

Tout était à son nom – tout lui appartenait. L'avocat avait contacté une huissière – une jeune femme en tailleur strict qui se tenait actuellement près de la fenêtre et hochait la tête aimablement. C'était elle qui, quelques minutes plus tôt, avait fermé la fenêtre derrière l'avocat. Elle était ensuite restée adossée au montant. Elle voulait sans doute s'assurer que personne n'aurait l'idée de rouvrir la vitre – elle devait faire partie de ces femmes qui font assidûment la chasse aux courants d'air. Son sac à main devait contenir à la fois Kleenex et corticoïdes.

L'huissière était arrivée en même temps que les deux agents et un serrurier, qui avait changé la serrure de la porte. Le bureau était maintenant sous scellés jusqu'à ce que tout ait été évalué. Rien ne devait bouger.

« Tout ceci est absurde, dis-je en tentant de capter le

regard de l'avocat. Toi et moi, on se connaît depuis plus de quinze ans. Tu sais que c'est mon entreprise. C'est moi qui travaille ici, moi qui ai des clients, moi qui gagne de l'argent ! Cathrine connaît à peine l'adresse !

– C'est inexact, répondit-il en conférant avec ses papiers. Elle connaît à la fois la rue et le numéro. Bon, elle s'est trompée pour l'étage, mais c'est un détail.

– Tu sais très bien que l'entreprise ne lui appartient que sur le papier. Bon Dieu, c'est une astuce fiscale !

– Je ne connais rien aux astuces fiscales, dit-il en levant les mains sur la défensive. C'est illégal ! »

Je dus prendre une profonde inspiration.

« J'imagine que tu as aussi bloqué mes cartes de crédit ? »

Il hocha la tête, l'air désolé. Il y avait été forcé.

« Toutes ? »

Nouveau hochement de tête désolé.

« Malheureusement, Johansen. » Il me regarda avec pitié, puis s'avança vers moi, se faisant confidentiel. « Il faut que tu saches que je ne fais pas ça avec plaisir. »

Je le croyais. Il ne faisait à coup sûr jamais rien avec plaisir. Le plus tragique étant qu'il ne faisait sans doute jamais rien avec déplaisir non plus.

C'était sans issue. Je devais être aussi pragmatique que Mahmoud m'imaginait l'être, et essayer de me sortir au mieux de cette situation.

« Est-ce que tu veux bien, commençai-je, au nom d'une amitié de longue date…

– Bien entendu ! » Il s'empressait toujours de répondre aux demandes d'autrui avant que les demandes n'aient été formulées. Comme ça, il ne pouvait pas être tenu pour responsable de la réponse. « Ceci n'est que temporaire, et tu sais que je ferai ce que je peux.

– Accélère le processus ! demandai-je. Et c'est aussi ce que Cathrine te demande.

– Bien entendu, répondit-il, soulagé. Cette affaire est

maintenant prioritaire, et je m'assurerai qu'elle soit réglée en un clin d'œil. »

En un clin d'œil ? Je voulais le voir pour le croire. Je connais la justice, ces gens-là ont leur propre notion du temps. Comme quand on compte l'âge d'un chien.

« O.K., soupirai-je, résigné. Je laisse les machines et tout ça pour que vous puissiez calculer ce que vous pourrez en tirer sur eBay. Mais il faut que je m'occupe de mon travail. J'ai des clients qui attendent, et je pars du principe que ça ne pose pas de problème si j'appelle un taxi et que j'emporte les dossiers clients ? »

L'avocat se pencha en arrière.

« Irene, dit-il, je crois que c'est à toi. »

L'huissière s'approcha de la table. Elle tenait son sac à main devant elle, comme un bouclier contre le monde environnant. Une fois près de nous, elle lança un rapide regard en arrière pour vérifier que personne ne profitait de son manque d'attention pour se jeter sur la fenêtre et créer un courant d'air. Il n'était pas impossible, le cas échéant, qu'elle aussi se mette à faire des clefs de bras.

« Rien ne doit bouger d'ici, commença-t-elle. Pas le moindre trombone. Pas avant que tout ne soit répertorié.

– Et quand est-ce que tout sera répertorié ? » demandai-je patiemment.

Elle me lança un regard incertain.

« Ben, ça ne sera pas cette semaine…

– Pas cette semaine ?

– Non, c'est impossible. » Elle réfléchit. « Et on est début décembre, c'est bientôt Noël. Personne ne travaille entre Noël et le Nouvel An… »

Son visage se fit optimiste. Elle avait fini de réfléchir.

« Je crois que nous pourrons nous lancer dans l'affaire dès le début de la nouvelle année. »

Elle et l'avocat hochèrent la tête. Il n'était pas impossible que cela puisse se faire si vite. Pas du tout impossible.

« Connaissez-vous le chien Rantanplan ? » demandai-je à la dame.

Elle eut l'air perdu.

« Rantanplan ?

– Celui de Lucky Luke ! intervint Mahmoud.

– C'est une bande dessinée, expliqua l'avocat. Le chien est un personnage de la bande dessinée. »

Aha. Elle comprenait de quoi je parlais mais restait désorientée.

« Le chien Rantanplan est connu, explicitai-je, pour se faire marcher sur la queue à la page 1, et réagir en couinant de surprise à la page 27. »

Ils se regardèrent, surpris.

« Où est le problème ? demanda l'huissière. Si on lui marche sur la queue, c'est normal qu'il couine. »

L'avocat était d'accord.

Je m'effondrai. Plus rien n'avait maintenant d'importance.

« Et moi ? demanda Mahmoud. Je suis employé ici.

– Vous pourrez pendant une période recevoir une indemnité pour chômage technique. Vous aurez ainsi le temps de trouver autre chose. »

Elle lui adressa un sourire satisfait, plein de sympathie.

« C'est qu'il y a des affaires à moi ici, continua-t-il. Elles ne sont pas aussi sous scellés, si ? »

Les deux autres, de l'autre côté de la table, échangèrent un regard.

« Quel genre d'affaires ? » demanda l'huissière.

Il haussa les épaules. « Un peu de matériel informatique dans mon tiroir et puis le Coran.

– Le Coran ! » Agent de police numéro 2 posa encore une fois sa main sur le bras d'agent de police numéro 1, pour le calmer.

« Il y a aussi un tapis de prière dans le local de la photocopieuse. Derrière les dossiers contenant les archives de la comptabilité. »

Il me lança un regard coupable, mais je secouai la main. Aucune importance.

« Du matériel informatique ? demanda la femme, incertaine.

– Des clefs USB, pas mal de câbles, quelques adaptateurs pour convertir...

– Qui comptes-tu convertir ? » éructa agent de police numéro 1, vigilant. Il fut stoppé par son collègue plus modéré. Ils ne devaient pas se mêler de la procédure elle-même.

« Ça va poser un problème, conclut l'avocat. Ma cliente affirme que le matériel informatique peut contenir des archives relatives à l'inventaire.

– C'est le cas », avoua Mahmoud.

Je tentai de lui adresser un regard d'excuse.

« Mais rien ne s'oppose à ce que vous preniez votre Coran et votre tapis de prière », dit encore l'avocat.

Nous nous levâmes lentement – j'étais comme groggy. Je ne m'étais jamais senti à ce point cerné d'invraisemblances.

Mahmoud alla pour fermer son ordinateur portable sur le bureau, mais l'huissière l'arrêta. C'était l'ordinateur de l'entreprise.

« Mais j'ai aussi du contenu privé dessus ! protesta le jeune homme.

– Vous pourrez le récupérer plus tard, assura-t-elle. Il est seulement saisi, pas confisqué. C'est pareil pour les trucs USB. Vous aurez le droit de tout vérifier quand nous aurons terminé l'inventaire. Ceci n'est que provisoire.

– Il va vieillir s'il n'est pas updaté tous les jours », marmonna-t-il.

Ils choisirent de ne pas entendre.

J'étais trop chamboulé pour vraiment faire attention à ce qui arriva ensuite, mais alors que nous descendions, j'entendis la dame dire :

« Quelqu'un pourrait-il avoir l'amabilité de fermer la porte ?

– Ils n'ont pas fermé la porte ? fit la voix furieuse de l'agent de police numéro 1, accompagnée d'un raclement de chaise contre le sol.

– Tout doux, là ! Tout doux », lui dit son collègue.

La dernière chose qui nous parvint avant que la porte ne soit fermée venait de l'avocat :

« Irene, je crois que ce qu'il voulait dire, c'est que le chien met beaucoup de temps à remarquer qu'on lui a marché sur la queue. »

Nous allâmes nous installer à la terrasse d'un café quelques rues plus loin.

Je pris un double expresso pour me requinquer, et Mahmoud fit de même.

Mon monde s'était écroulé. Qu'est-ce que j'allais bien pouvoir faire de moi – et où pouvais-je aller ? Les enfants ne devaient surtout pas être mêlés à ça. Et quand mon assistant amena le sujet sur le tapis, je dus avouer que l'histoire de la sœur était pure fantaisie.

« Tu reviens chez moi, lâcha-t-il en me donnant une tape sur l'épaule. Tu n'es pas obligé de dormir sur le canapé. Il faut juste que j'enlève tout un tas de vêtements de la petite chambre. L'Armée du Salut va faire la fête. »

Il s'empressa d'ajouter que s'il se passait quelque chose avec la voisine du dessus, Lærke Neumann, et que ça se terminait bien, il aurait sans doute besoin de la petite chambre. À moins qu'il ne décide d'emménager chez elle. Il n'était pas encore sûr.

« C'est gentil de ta part, Mahmoud, soupirai-je. Mais au fond, tu n'es même plus employé, puisqu'il n'y a plus personne pour t'employer. »

Je tentai de le consoler en lui assurant qu'il retrouverait vite du travail. Les temps étaient durs, mais la branche informatique avait toujours besoin de bons éléments.

Il secoua la tête. « Je reste chez toi, Maurice !

– Mais enfin, il n'y a plus d'entreprise dans laquelle rester.

– Si ! argua-t-il. Il y a toi. Je crois en toi, comme tu as cru en moi quand tu m'as engagé ! »

C'était émouvant, mais je ne pus qu'hausser les épaules. Ce n'était pas si noble que ça.

« J'avais besoin d'un assistant. Tu cherchais du travail, alors je t'ai embauché. C'est aussi simple que ça.

– Sais-tu combien de portes on m'a claquées à la figure juste à cause de mon nom ? » demanda-t-il en se penchant par-dessus la petite table de bistrot.

Je n'en avais évidemment aucune idée.

« Les gens ne s'embarrassent pas. Ils prévoient des soucis, et on n'embauche pas du personnel pour avoir des soucis.

– Tu avais de bonnes qualifications, marmonnai-je.

– Exactement. Mais tu ne t'en serais jamais rendu compte si tu t'étais arrêté au nom, en trouvant qu'il sentait un peu le djihad. Tu n'as même pas demandé si j'étais musulman.

– Non, je n'avais pas spécialement besoin d'un musulman. »

Il me regarda droit dans les yeux.

« Tu m'as préféré aux autres ! »

Je baissai les yeux.

« Oui, parce que j'aurais dû les payer correctement, eux. »

C'était faux, évidemment. Je le paye comme j'aurais payé n'importe qui. Je ne sais pas pourquoi je fais tout le temps ça. Quand quelqu'un devient un peu trop familier, je ruine systématiquement la relation. De préférence par une remarque qui se veut drôle.

Pourquoi ? Angoisse de la proximité ?

Mahmoud était visiblement en train de s'étonner aussi. Pourquoi est-ce que j'étais si souvent ce que les Américains appellent un *wise cracker* ? Un rabat-joie ?

Ne vous y trompez pas. Pour le divorce avec Cathrine, il était temps. Pas question de chipoter, ça *devait* arriver. Mais ça reste un sujet sensible ! Le genre de sujet dont on n'aime pas s'approcher, et c'est pourquoi on repousse l'autre avec une pointe de sarcasme par-ci par-là, avant de se retrouver avec une boule dans la gorge. C'est à la fois pratique et raisonnable.

Quand j'ai embauché Mahmoud, c'est surtout parce que je l'aimais bien. Tout simplement. Mais on garde ce genre de choses pour soi. Et ses qualifications étaient à la hauteur. Que je n'aie pas réagi à son nom, et par-là même aux croyances qui pouvaient éventuellement y être liées, n'avait rien à voir avec le politiquement correct ou un grand humanisme. Je n'y avais simplement pas réfléchi.

Je me décidai à donner un peu de mou.

« Mahmoud, dis-je, c'est vraiment très, très gentil de ta part, et il faut que tu saches que je suis touché. Et je crois que j'accepterais ta proposition si ça avançait à quelque chose.

– C'est le cas, insista-t-il. L'Armée du Salut va être aux anges ! »

Tiens, voilà qu'il se mettait à faire de l'humour !

« Non, soutenait-il, ils *vont* être ravis ! »

Je décidai de changer de sujet :

« Dans le bureau, j'ai juste eu le temps de me dire qu'il me suffisait de récupérer les dossiers clients et travailler ailleurs, expliquer aux clients que c'est temporaire. Et passer à travers toute cette histoire comme ça.

– Pourquoi pas ? On fera un bureau dans le salon, on utilisera mon portable. Les clients ne verront même pas d'où tu travailles.

– Tu n'as rien écouté ? Ils ont tout saisi. Les archives clients, les comptes ! Je ne peux rien récupérer.

– J'ai des copies de tout le bazar, acquiesça-t-il, satisfait.

– Ah bon ? »

Voilà qui était surprenant.

« Mais ils ne lâcheront rien, ni clef USB, ni disque de sauvegarde, ni quoi que ce soit d'autre. Tu l'as bien entendue : pas le moindre trombone ! »

Mahmoud sourit et leva un doigt triomphant vers le ciel.

« Le nuage ! dit-il. Tout est stocké dans le nuage. Je suis le seul à avoir le code d'accès. Et ils n'avaient pas l'air du genre de personnes capables de flairer l'existence d'un backup dématérialisé. On se dépêche de rentrer récupérer tout ça sur mon ordinateur portable !

– Mais… ils viennent de le confisquer », objectai-je.

Son sourire s'élargit encore.

« Je parle du mien, dit-il fièrement. Je viens de l'acheter, et il est… » Il ne put terminer sa phrase, mais c'était comme s'il en avait des frissons de plaisir.

Je ne pouvais pas m'empêcher de sourire.

« Tu es malin, repris-je. Mais je n'ai pas une couronne en poche.

– Moi non plus, mais tu as douze clients qui n'ont pas encore payé.

– Oui, mais si je les travaille un peu et qu'ils virent l'argent sur le compte du bureau, la dame en tailleur mettra la main dessus immédiatement.

– Sauf si… » Il avait adopté un air rusé. « Sauf si on se dépêche d'écrire aux clients pour leur indiquer que tu as changé de banque, parce que tu n'avais plus totale confiance en l'ancienne.

– Ça pourrait marcher, avouai-je… Mais aucune banque ne voudra avoir le moindre rapport avec moi.

– Tu leur donneras mes coordonnées bancaires. » Il avait vraiment pensé à tout. « Et je te donne accès total à mon compte.

– Tu ferais ça ? » demandai-je en écarquillant les yeux. Quelle confiance !

Mahmoud eut un petit rire.

« Comme je viens de le dire, il est vide. C'est plutôt toi qui cours un risque !

– Je n'aime pas trop mentir aux clients…

– Tu ne leur mens pas. Tu *as* changé de banque.

– Mais qu'est-ce qui va se passer quand la dame en tailleur le remarquera ? »

Il me lança un regard en biais.

« Elle t'a semblé rapide à la détente ? »

Il commanda deux tasses de café supplémentaires. Même s'il trouvait qu'il était sacrément insipide.

Je ne pus m'empêcher de lui demander :

« Elle est grande comment, la chambre ? »

Chapitre 4

Ou comment organiser le travail au quotidien dans un bureau, quand on patauge jusqu'aux genoux dans le romantisme fleur bleue.

Voilà que j'habitais à Avedøre.

Celle-là, je ne l'avais pas vue venir ! Trois semaines avaient passé, et la procédure de divorce n'avait pas bougé d'un pouce. La seule avancée notable fut un appel de l'avocat, environ deux semaines et demie après notre entrevue, pour me signaler qu'il avait été contacté par l'huissière. Celle-ci était allée à la bibliothèque emprunter quelques bandes dessinées de Lucky Luke, et voulait maintenant attirer mon attention sur le fait qu'elle trouvait ma remarque sur Rantanplan à la fois dégradante et blessante.

Il faut savoir tenir sa langue ! Une remarque sans préméditation, et j'avais retardé la procédure de deux semaines et demie.

En dehors de ça, tout se passait mieux qu'on aurait pu le craindre. Le nouveau « bureau » constituait bien entendu un grand bouleversement, et Mahmoud avait beau être un jeune homme aimable, sa façon de vivre bien étrange était parfois agaçante. Il est la personne la plus mal organisée que j'aie jamais rencontrée. Et pourtant il me semble avoir un don incomparable quand il s'agit d'informatique, un domaine exigeant une logique rigoureuse, bien au-delà de la mienne. Très paradoxal et peu compréhensible. En revanche, sur le plan humain, il est magnanime et généreux. Il avait sans hésiter partagé son appartement avec moi quand j'étais dans la panade. Et son compte en banque ! Même s'il s'est avéré qu'effectivement, il était plus que vide.

La raison à cela trônait sur la table à manger. La fierté de Mahmoud : un ordinateur tout neuf. J'avais posé quelques questions, et cru comprendre qu'il était de la marque « Motherfucker ». Une marque dont je n'avais jamais entendu parler.

Cet ordinateur était désormais le cœur vivant de l'entreprise.

Dès le premier jour, j'ouvris un compte comprenant ma part de loyer, location de l'ordinateur, entretien de l'appartement et ainsi de suite. Le salaire de Mahmoud ne posait pas de problème : quatre de mes clients payèrent ce qu'ils me devaient à une vitesse surprenante, et déjà la semaine d'après trois autres suivaient. Ça marchait !

En dehors de ça, le plus important était de supprimer toute correspondance physique. Elle n'arriverait jamais jusqu'à nous. C'est pourquoi nous avions envoyé des mails à toutes nos relations professionnelles pour indiquer que dorénavant, l'entreprise ne communiquerait plus que par courriers électroniques.

Cela avait sans doute mécontenté quelques clients, mais la réponse véhémente n'en arrivait pas moins par mail. Les gens s'y faisaient, grâce aux institutions publiques qui avaient préparé le terrain, et qui ne communiquent plus que par voie électronique. Ce que l'État et les communes exigent des retraités, aveugles et malvoyants, et en réalité de nous tous, on peut d'autant plus facilement l'exiger de quelques hommes d'affaires.

Mon téléphone portable privé fonctionnait toujours, étrangement. Il devait y avoir eu une erreur. On demanda un transfert d'appels, mais de toute façon, la plupart des clients avaient l'habitude d'appeler sur mon mobile.

Le changement d'adresse passa inaperçu. L'adresse physique ne se voit pas sur un mail, et le téléphone portable ne précise pas si le distingué comptable est assis derrière un bureau ou sur un coussin marocain au septième étage d'un immeuble d'Avedøre.

En réalité, l'entreprise fonctionnait exactement comme avant, à ceci près que Mahmoud n'arrivait plus en retard au bureau.

Il lui arrivait d'avoir l'air un peu absent quand il était assis sur le canapé avec son ordinateur adoré.

Nous avions imprimé les différentes affaires en cours après les avoir récupérées avec le Motherfucker dans le « nuage » mentionné précédemment, où apparemment j'avais désormais mes archives. La méthode de travail consistait pour moi à marcher de long en large dans le salon en agitant des feuilles de papier, dictant à Mahmoud.

« C'est un vieux client. Le type est routier – il a une fâcheuse tendance à oublier la TVA, checke ça rapidement.

– Mmmmmmh.

– Et on déplace un maximum des revenus sur son épouse en tant que "femme au foyer participante". Je m'en occuperai.

– Mmmmmmh.

– *Femme au foyer participante...* ça n'existe qu'en comptabilité, ça. »

C'était une petite remarque joviale du matin, mais il ne réagit pas.

« Peut-être que je pourrais te déclarer toi en tant que *propriétaire participant...* »

Toujours pas de réaction. Il devait être absorbé par quelque chose. C'était souvent le cas, mais son travail n'en était pas moins irréprochable.

Sa mère aussi s'était habituée à la nouvelle donne. Quand j'avais emménagé – mais attention, ça restait provisoire ! – Mahmoud et elle s'étaient un peu hurlé dessus, et j'étais discrètement descendu dans le parc m'asseoir sur une balançoire, pour passer le temps.

Au début, je les entendais crier par la porte ouverte du balcon, au septième étage. Il me raconta plus tard qu'il lui avait expliqué que j'étais un gros bonnet d'industriel, qui pouvait sans doute lui assurer un poste fixe à la Bourse ou lui permettre d'ouvrir une agence de voyages avec change de devises à l'amiable. Voilà qui l'avait un peu calmée. Le fait que je dorme maintenant dans la petite chambre d'amis aidait beaucoup aussi.

Pour la rassurer complètement, je lui proposai de signaler qu'il avait le béguin pour l'autre là-haut.

Ses yeux s'ouvrirent grand, effrayés.

« T'es malade ! » dit-il. Moins d'une semaine plus tôt, sa mère lui avait montré une photo envoyée par une tante. L'image représentait une jeune fille d'environ dix-sept ans, de la banlieue d'Amman. L'un de ses yeux regardait droit vers l'objectif, pendant que l'autre préférait visiblement analyser l'environnement. Elle avait l'air de se nourrir uniquement de citron. Selon Mahmoud.

Il avait donc botté en touche, intimant la patience à sa mère, mais elle était irritée. Qu'allait-elle répondre à la tante ?

Quoi qu'il en soit, je crois qu'elle avait compris que le danger ne venait pas de moi. C'est pourquoi quand elle vint en visite, je pus presque subodorer quelques signes de sociabilité naissante de sa part.

« Mais elle me lance toujours de ces regards furieux ! » me plaignis-je.

Mahmoud n'en tint pas compte.

« Elle est comme ça, dit-il. Ce sont de gentils regards furieux. »

Retournons au travail.

« On en était à ce routier, là, repris-je. Hellbrandt & Fils doit être facturé pour…

– C'est bizarre, me coupa-t-il brusquement. Comprends pas. » Mon jeune assistant posa son ordinateur et se précipita sur le palier.

Il y avait quelque chose d'anormal. Pas un bruit – comme s'il se tenait là, dehors, et qu'il écoutait. Pendant ce temps, je jetai un regard sur son écran. Là aussi, il y avait quelque chose de pas tout à fait normal !

Alors j'entendis la porte se refermer, et Mahmoud revint.

« Je me suis sûrement trompé, annonça-t-il. Je croyais avoir entendu des pas dans l'escalier, mais ce n'est pas possible. »

Je lui mis l'écran sous le nez.

« C'est pas une facture, ça ! »

Il me reprit l'engin et retourna s'asseoir sur le canapé.

« J'ai terminé pour Hellbrandt & Fils, dit-il pour me rassurer. C'est prêt à être envoyé, à moins que tu me dictes un truc auquel je n'ai pas pensé. »

Étrange, non ? Ce garçon est à la fois très, très malin et très, très bête.

Je pointai mon doigt sur l'ordinateur et dit :

« Lærke Neumann !

– Oui, répondit-il, ravi. J'ai trouvé son numéro de téléphone sur Internet. Et j'ai aussi téléchargé un programme qui permet de voir en permanence où son téléphone se trouve. »

Je ne sais si ce genre de choses est légal, mais en tout cas c'est inquiétant.

« Le GPS de mon cœur ! »

Je ne pus réprimer un sourire.

« Attention, dis-je, femme dangereuse droit devant, tournez à gauche !

– Qu'est-ce que tu veux dire ? commença-t-il, mais il s'interrompit lui-même brusquement. Oh ! Elle est à la poste ! »

Il se leva vivement.

« Il faut que j'y aille aussi. Je vais trouver quelque chose à envoyer à quelqu'un, et je file ! »

Il se précipita vers l'étagère et attrapa un bougeoir, puis se dirigea vers la porte de l'appartement. Je m'empressai de me mettre en travers de son chemin.

« Faites demi-tour dès que possible ! »

Il stoppa net, indécis.

« ... Faites quoi ?

– Demi-tour, répétai-je. Fais demi-tour. Dès que possible. »

Extinction du GPS.

Je lui pris le bougeoir des mains et le remis à sa place.

« Juste un petit conseil de la part de quelqu'un qui vient de se brûler les ailes. »

Je venais d'écraser le frein. Il fallait qu'il apprenne à réfléchir un peu, et qu'il arrête de se montrer aussi impulsif. Si on veut faire impression sur une femme, se conduire comme un parfait imbécile n'est pas un bon début. Je ne peux évidemment pas me vanter d'avoir la recette miracle. Ce serait quoi, d'ailleurs ? Un tiramisu ?

Mahmoud se laissa choir sur un tabouret.

« C'est pas que j'aie jamais eu de copine avant... » commença-t-il, mais cette fois, je l'interrompis avant que la phrase ne devienne trop longue.

« Il y a si peu de différences entre une femme et une autre qu'on peut aussi bien garder la première. »

Mahmoud releva vivement la tête.

« *Dixit* celui qui n'a pas su garder la dernière !

– Qui n'a pas *voulu* ! » le repris-je. Au cours des trois dernières semaines, il n'avait cessé de me titiller parce que je n'essayais pas d'annuler la procédure de divorce. Il n'arrivait pas à enregistrer que c'était moi qu'on avait mis dehors ! Même après avoir eu un aperçu du comportement de mon épouse, il continuait sa propagande sur l'importance de préserver son mariage coûte que coûte.

« Les musulmans ne peuvent pas divorcer ? lui demandai-je, irrité.

– Si, si, me répondit-il. Il y en a beaucoup qui divorcent.

– Alors pourquoi tu me sermonnes en permanence ? »

Il se leva, se dirigea vers moi et posa sa main sur mon épaule. C'était un peu embarrassant.

« Tu veux entendre un truc sur nous, les musulmans, que la plupart des gens ne captent pas spécialement ? » demanda-t-il.

Je voulais bien.

« On est différents les uns des autres. »

Il me donna une petite tape sur l'épaule et retourna s'asseoir sur le canapé, satisfait. Juste à la limite de l'insolence ! C'était quand même moi l'aîné !

De plus, cela me gênait qu'il ramène régulièrement le sujet de Cathrine sur le tapis.

« Je lui ai parlé ! » s'exclama-t-il d'un coup.

Mon cœur rata un battement. Bon Dieu, qu'est-ce que c'était que ça ?

« Tu as parlé à Cathrine ? »

Il secoua la tête.

« Lærke, celle du dessus. »

Il était resté devant sa porte et avait fixé la plaque affichant son nom. Et elle avait soudain ouvert et lui avait demandé d'arrêter de fixer la plaque affichant son nom.

Tiens donc... Passionnant.

« Et toi, tu as dit quoi ? demandai-je.

– Rien, dit-il en secouant la tête. Je n'ai pas eu le temps, elle a refermé tout de suite.

– Ce n'est pas un vrai dialogue alors, si un seul des deux a le temps de dire quelque chose ! » protestai-je.

En un instant, Mahmoud s'emballa.

« Mais, moi aussi je lui ai dit quelque chose ! affirma-t-il alors. Jeudi dernier ! Je l'ai croisée dans l'escalier. Elle descendait, et moi je montais. Et alors, j'ai dit : *Salut !* »

Il avait l'air ravi. Et même si je connaissais pertinemment la réponse, je dus lui demander :

« Et qu'est-ce qu'elle a dit, *elle* ? »

Rien. Évidemment, elle n'avait pas répondu. Elle était juste passée devant lui. Mahmoud craignait qu'elle soit peut-être encore un peu en colère pour cette histoire de réveil.

Je me permis d'indiquer qu'on pouvait difficilement parler de dialogue quand quatre jours séparaient deux répliques.

Mahmoud haussa les épaules.

« C'est un début », dit-il, optimiste. Il doit être du genre à sortir les chaises longues en plein milieu d'une tempête de neige.

« Tu pourrais lui demander si tu peux récupérer le réveil, proposai-je.

– T'es malade ? s'écria-t-il. Hors de question ne serait-ce que d'amorcer une quelconque histoire avec un quelconque réveil ! »

Maintenant que le sujet était lancé, il fallait qu'il me dise ce que sa mère avait pensé de la disparition de l'appareil. C'était un cadeau de sa part. Elle venait presque quotidiennement, et rien ne semblait échapper à son regard perçant. Elle devait bien avoir remarqué que l'engin n'était plus à sa place !

« J'ai dit qu'il avait disparu à la suite d'un accident. J'ai dit que c'était ta faute. »

Non, pas ça ! Je pouvais vivre avec les regards noirs de la mère, mais aucune chance de survivre à un véritable savon.

« T'inquiète ! dit Mahmoud. On ne critique pas les invités. »

Et ça avait *bel et bien* été un accident. Il lui avait expliqué par le menu comment j'avais laissé la porte de la petite chambre ouverte. Et les fenêtres. Dans la chambre et dans le salon. Courant d'air. Le réveil posé sur le rebord de la fenêtre du salon. Les rideaux secoués par le courant d'air, et pouf ! Le réveil tombé dans la cour. Où se trouvait une bétonnière géante. Disparu !

Mahmoud sourit. Super fier de lui, visiblement.

« C'est triste, concédai-je. Ta mère a gobé cette histoire ? »

Il eut l'air outré.

« Je suis son fils ! »

Ça, je n'en doutais pas particulièrement... Mais je ne pus m'empêcher de demander comment le bobard pouvait rester viable, considérant que la fenêtre du salon donnait sur un balcon, et non une cour.

Il blêmit et se précipita jusqu'à la fenêtre pour vérifier. Ce qui était tout à fait superflu, à mon avis.

« *Shit* ! hurla-t-il. C'est pas possible. »

Je me levai et passai un bras autour de ses épaules. Une sorte de quittance pour sa précédente tape sur l'épaule légèrement déplacée.

« Si tu veux, je peux essayer de tout expliquer à ta mère... Je peux lui raconter comment, un jour, deux aliens ont débarqué de Mars, affamés. »

Il me lança un regard ébahi.

« Et s'il y a un truc qui donne l'eau à la bouche aux aliens de Mars, c'est bien les réveils de Jordanie ! repris-je. Pour conclure : Hop ! Mâche mâche mâche, désolé madame Maman de Mahmoud, le réveil a été mangé par deux extraterrestres. »

J'écartai les bras. Abracadabra.

Il secoua la tête.

« Elle ne croira jamais à ça, dit-il, malheureux. Dans notre culture, il n'y a pas d'extraterrestres !

– Ah ? Ben et l'autre là, le Prophète, il se balade pas un peu dans l'atmosphère, et... »

Ah oui, c'était justement ce genre de boutades qu'il fallait que j'évite ! Pourtant, je m'étais maîtrisé pendant un bon moment, mais qu'il est difficile de toujours garder à l'esprit ces sujets un tant soit peu sensibles !

D'ailleurs, pourquoi était-ce à moi de me surveiller ?

J'en avais parlé à Mahmoud une fois, et il m'avait répondu : « Pas se surveiller... Faire preuve de considération ! Empathie, Maurice ! »

Ouais... Mais quand même !

« Mais quand même... » Je reconnais que ce n'est pas particulièrement glorieux de recourir à cette expression. J'ai de la famille dans le Jutland, et quand ils sont acculés dans une discussion sans issue, que chaque argument est tombé et la cause de toute évidence perdue, ils s'en sortent quand même à la dernière seconde en adoptant un regard absent mais rusé et en disant : « Ouiiiiii... Mais quand même ! »

Hop là ! La cuisante défaite est oubliée comme par magie, et ils s'en vont en sifflotant, la tête haute.

Mais quand même – on peut perdre patience.

« Il va falloir que tu apprennes à plaisanter, un jour ou l'autre ! » dis-je, un peu agacé, en allant à la cuisine me servir un café allongé avec de l'eau.

« Tu veux entendre un truc amusant ? » l'entendis-je demander. Je me retournai vers Mahmoud, qui optait maintenant pour une expression rusée. Pas à la façon des gens du Jutland, là c'était comme s'il avait un atout dans sa manche et se réjouissait de le jouer.

« Oui ?

– Je lui ai parlé ! » annonça-t-il, triomphant.

Ah, c'était ça. Je croyais qu'on avait déjà fait le tour du sujet.

« Alors vous avez dit quelque chose tous les deux ? Ça donne de la teneur à une conversation, en général... » marmonnai-je.

Il rit.

« Pas elle, Maurice. Ta femme. J'ai parlé à Cathrine. »

Je fis tomber la tasse de café. C'était sa tasse, je n'avais pas le droit de la laisser tomber, mais je le fis quand même. Et juste à cet instant-là, j'avais autre chose en tête que proposer d'en racheter une.

Pourquoi, au nom du ciel, avait-il parlé à Cathrine ? J'étais scié.

« Je voulais juste aider, dit-il. Tu es un patron sympathique. »

Il était de toute évidence gêné, parce qu'il était intervenu dans une affaire qui ne le regardait pas, et il évitait mon regard. Mais il n'avait *pas pu s'en empêcher*, disait-il, parce qu'il trouvait que je manquais d'espoir concernant les possibilités de réconciliation. Et puis il s'était dit que tous les problèmes avec l'avocat et l'huissière disparaîtraient à l'instant où Cathrine et moi nous retrouverions.

Il inspira profondément et annonça : il avait invité Cathrine !

« Elle vient cet après-midi », ajouta-t-il d'une petite voix, en baissant les yeux.

J'étais tétanisé. Cathrine allait venir ? Avait-elle dit oui, merci, à cette invitation ?

« Pas oui merci, juste oui, dit Mahmoud en hochant énergiquement la tête. Mais elle a dit qu'elle se réjouissait à l'idée de passer, parce qu'elle a des papiers à te faire signer. »

Tiens donc.

« Je trouve qu'on devrait ranger le salon, continua-t-il avec optimisme. Elle peut débarquer d'une minute à l'autre. »

J'explosai.

« Alors vas-y ! Range ! Et bon courage ! Moi, je vais à la bibliothèque. Appelle quand elle sera partie. »

J'étais déjà sur le palier quand Mahmoud m'interpella :

« Laisse-vous une chance, Maurice ! »

Je retournai dans le salon, plutôt fâché.

« En quoi mon divorce te concerne ?

– Juste un coup de main, reprit-il, je veux juste donner un coup de main. Je me tiens peut-être moi-même au seuil d'un long et heureux mariage, et je trouve… »

Un long et heureux mariage ! Entre eux, il y avait deux demi-dialogues d'environ cinq secondes chacun !

Mais Mahmoud ne lâchait pas l'affaire.

« Tu ne peux pas faire en sorte qu'elle te pardonne ?

– Impossible. Je n'ai rien fait de mal.

– Attends une seconde, Maurice, demanda-t-il. Je peux te montrer quelque chose ? »

Dans les maisons traditionnelles danoises, les murs sont généralement couverts de photos d'enfants et petits-enfants depuis leur naissance jusqu'à leur majorité, photos prises environ toutes les deux semaines durant dix-huit ans. Au Groenland, ce sont des images de Jésus de Nazareth découpées dans les magazines, de la famille royale et de Britney Spears. En Suisse, j'imagine qu'il doit y avoir des coucous et les codes de leurs coffres-forts. Dans les habitats musulmans, j'ai cru comprendre que c'étaient les citations du Coran encadrées. En premier lieu comme décoration, mais aussi comme rappels à l'ordre. Un peu comme les broderies en point de croix avec proverbes à l'île de Fanø.

Mahmoud décrocha l'une des citations du Coran.

« Je sais que tu n'es pas particulièrement intéressé par ce qui n'est pas drôle, Maurice, dit-il d'un ton pénétrant. Mais dans le Coran, il est écrit : *Le mariage est un port où l'on est aimé d'une personne charitable, qui peut passer sur les erreurs humaines.*

– Le Coran a oublié de prendre en compte Cathrine ! dis-je en croisant les bras.

– Attends une minute », essaya-t-il encore en montrant les étagères.

Son salon, et peut-être aussi sa vie entière, était composé de deux ingrédients principaux : les vinyles et les citations du Coran sur les murs.

« Ça fait vieux jeu, dit-il, je le sais bien. Mais en réalité, c'est toujours d'actualité. »

Il commença à fouiller dans les disques. « En vérité, ce qui est écrit dans le Coran, c'est comme... Écoute ça !

– Plus de musique... suppliai-je. C'est qui ?

– Nat King Cole ! »

Il tentait vainement de dissimuler un sourire triomphal.

« Et qu'est-ce qu'il chante, Nat King Cole ? demandai-je, fatigué.

– *Let there be love !* proclama-t-il en plaçant le vinyle. Écoute ! »

Let there be you,
Let there be me.
Let there be oysters
Under the sea.

Let there be birds
To sing in the trees,
Someone to bless me
Whenever I sneeze.

Let there be cuckoos,
A lark and a dove,
But first of all, please,
Let there be love.

Il me fixa droit dans les yeux.

« Tu l'entends ? Ils disent la même chose, le Coran et lui ! Ce qu'il chante correspond en fait beaucoup aux paroles du Prophète il y a des centaines d'années. Ses paroles ont été retranscrites, et elles ont maintenant un sens pour la moitié de la population mondiale !

– L'autre moitié a dû attendre Nat King Cole ? »

Mahmoud parut déçu, et retira le disque. Esprit bilieux ! Il était sans doute trop jeune pour utiliser précisément ce mot, mais ce devait être quelque chose comme ça qu'il avait en tête.

Il rangea le disque dans la pochette.

« Tous ces divorces, dit-il, attristé. C'est tellement déprimant. Les gens ont à peine le temps de se marier qu'ils veulent déjà divorcer. »

Il faisait ce qu'il pouvait, je le voyais bien, et ne voulait rien d'autre qu'aider. Je laissai donc les sarcasmes de côté.

« C'est gentil de ta part Mahmoud, et tu es un garçon bien, mais oublie ça ! Ce mariage était un malentendu. Une erreur. C'est comme ça, et maintenant il s'agit de passer son chemin le plus vite possible. »

L'optimisme le reprit – une tendance difficile à réprimer.

« Vous avez besoin d'un arbitre ! Une troisième personne qui peut donner de bons conseils. Un médiateur ! »

C'est un type bien, indiscutablement, mais parfois il faut vraiment laisser les gens tranquilles.

« Mahmoud, ce ne sont pas tes intentions qui posent problème. Mais il est hors de question que tu fasses le médiateur entre Cathrine et moi. »

Il me lança un regard effrayé, puis rit, gêné.

« Non, non, bien sûr que non ! Je ne ferai pas le médiateur, je ne suis pas assez malin. Vous avez besoin d'une personne de grande sagesse. »

Je compris enfin que son plan était encore pire que je ne l'avais imaginé.

« Une personne de grande sagesse ? répétai-je, méfiant. Une personne que tu as également invitée cet après-midi ? »

Mahmoud hocha la tête, regardant ailleurs.

« En même temps que Cathrine ? »

Encore un hochement de tête.

Bon Dieu. Lui et sa satanée bonne volonté !

Je lui saisis le menton et le forçai à me regarder.

« Et qui est donc cette tierce personne ? » énonçai-je lentement, en appuyant sur chaque syllabe.

Il annonça, ravi :

« L'imam de Brønshøj ! »

Je n'en croyais pas mes oreilles, trop hébété pour faire autre chose que répéter :

« L'imam de Brønshøj ? »

Il opina du chef, fier de lui.

« L'imam de Brønshøj ! Il s'appelle Khalid Yasin.

– Ah bon ? Mais c'est super ! » sifflai-je.

Content de l'évaluation positive, Mahmoud expliqua :

« On l'appelle souvent quand il y a des problèmes de famille. Il vient et fait le médiateur.

– Tu as, sans même me demander mon avis, grondai-je

en tentant de rester calme, organisé tout ça, avec café et petits gâteaux. Et tu t'attends à ce que je reste tranquillement coincé entre Margaret Thatcher et le Grand Mufti de Søborg ?

– Brønshøj ! corrigea-t-il. Et il est imam, pas mufti. Et encore moins Grand Mufti ! »

Bon sang ! On peut avoir les muftis en plusieurs tailles ? S, M ou L ?

Mahmoud essayait de se justifier.

« Khalid Yasin est un homme très malin. »

Je n'avais plus envie de me maîtriser. Tout cela était parti d'une bonne intention, mais trop de frontières critiques avaient été franchies.

« Et moi je le suis encore plus, Mahmoud ! Parce que je vais à la bibliothèque, et quitte à lire tout Dostoïevski, je ne reviendrai pas avant que tu appelles pour dire que Cathrine et le mollah sont partis ! »

Je fonçai dans l'entrée et claquai la porte du salon derrière moi. J'entendis quand même la voix de Mahmoud :

« Il est imam, pas mollah !

– Peu importe, tant qu'il n'est pas là ! » criai-je en retour. J'attrapai mon manteau et posai la main sur la poignée de la porte.

À ce moment, la sonnette retentit.

Chapitre 5

D'une visite bienvenue et d'une autre qui ne l'est pas.

Quand on sonna à la porte, je n'eus qu'une pensée en tête : Cathrine.

Mais l'individu qui se tenait de l'autre côté bloquait la seule issue. Je laissai tomber mon manteau et courus dans le salon.

« Vite ! chuchotai-je. Je me cache dans la chambre, et je-ne-suis-pas-là !

– Mais enfin, si tu fais ça, vous n'allez pas pouvoir communiquer ! protesta Mahmoud.

– Sans rire ? C'est exactement ça, l'idée ! » sifflai-je en ramassant quelques classeurs. Il s'agissait de faire disparaître tout ce qui faisait penser de près ou de loin à un bureau. Cathrine en parlerait sans aucun doute à son cher avocat, qui en toucherait deux mots à l'huissière, et par là même à l'État et aux services de banques et d'assurance – quel que soit le sens de tout ça aujourd'hui – qui agiraient résolument, peut-être même en moins d'un mois.

« Et si ça arrive, on peut tous les deux faire nos valises et emménager chez ta mère ! »

Mahmoud ouvrit grand les yeux, puis s'empressa de m'aider à ranger ce qui restait. Le Motherfucker fut caché dans le four.

On sonna à la porte encore une fois. Mon assistant eut un dernier regard circulaire pour le salon, puis se précipita dans l'entrée.

Je l'entendis ouvrir la porte et dire « Salut », d'un ton surpris.

Et juste à l'instant où j'allais fermer la porte de la petite chambre, je perçus une voix de femme.

Ce n'était pas Cathrine.

La voix de femme avait dit « Salut ! ».

Cathrine n'aurait jamais dit « Salut ». Elle aurait dit « bonjour », ou « bonsoir », ou « pauvre abruti », mais pas « salut ».

« C'est toi ? » demanda Mahmoud.

La femme confirma. Ça non plus, Cathrine ne l'aurait jamais fait. Pas sans consulter son avocat.

C'était la voix de Lærke Neumann. Elle était différente de la dernière fois, où elle avait hurlé tout du long, mais c'était bien sa voix.

Je restai immobile, écoutant la pièce radiophonique se déroulant dans l'entrée.

ELLE : J'étais à la poste.

LUI (surpris) : Aha.

ELLE : Une amie à moi y travaille. Un colis est arrivé pour toi, j'ai promis de te l'amener.

LUI : C'est gentil de ta part !

ELLE : Normalement ils n'ont pas le droit, mais ils n'osaient pas le garder. Il vient du Moyen-Orient, et il y a quelque chose dedans qui fait tic-tac.

LUI : Tu veux entrer prendre un café ?

ELLE : Nan.

La pièce était terminée, et j'entendis des pas s'échapper dans l'escalier. Mahmoud revint à toute vitesse dans le salon, un paquet sous le bras et l'œil brillant. « Cette fois c'était une conversation ! qu'il jubilait. On a tous les deux dit des trucs ! »

Je ne pouvais pas le nier, mais il ne me semblait pas avoir entendu quoi que ce soit qui ressemble à un échange enflammé…

« Chhhhut ! dit-il, écoute ! »

J'écoutais.

Nous entendîmes un faible tintement de trousseau de clefs.

« Elle déverrouille la porte de chez elle ! » chuchota-t-il, à bout de souffle.

Une porte grinça sur ses gonds.

« Elle ouvre la porte ! »

Le grincement de porte disparut.

« Maintenant, elle entre chez elle ! »

La porte fut refermée.

« Voilà, elle est chez elle ! »

Le silence se fit. Aucun de nous ne bougeait.

« C'est tellement romantique », dis-je en prenant le paquet qu'il gardait sous le bras. Il était de la taille d'une boîte de gros cigares, si on en fait toujours de ce calibre. L'empaquetage était une expérience à lui tout seul. Plusieurs couches de papier kraft, beaucoup de ruban adhésif de deux sortes différentes, le tout entouré plusieurs fois de ficelle aux nœuds nombreux et complexes. Des timbres que, bien entendu, je n'avais jamais vus. Et des tampons partout, de toutes les couleurs. Cela représentait bien quatre employés pendant deux heures de travail non-stop, pour réaliser cet emballage.

Je soupesai le tout dans ma main.

« Qu'est-ce que c'est ? Un de tes oncles fait partie d'Al-Qaïda ? »

Il me prit le paquet.

« Acheté par correspondance et expédié d'Abu Dhabi, constata-t-il. Maman a dû racheter un réveil. »

Abu Dhabi n'est pas en Jordanie, bien sûr. Mais les réveils sont moins chers là-bas. Comme tout le reste.

Je collai le paquet à mon oreille.

« Elle a dit que ça faisait tic-tac. Comment ça se fait ? C'est pas un affichage digital ? » demandai-je.

Mahmoud haussa les épaules.

« Ça vient du Moyen-Orient, dit-il, les gens se mettent tout de suite à entendre des tic-tac. »

Son regard s'illumina d'un coup.

« Je devrais m'envoyer tout un tas de colis à moi-même, comme ça elle viendrait me les apporter aussi ! »

Pas croyable ! Immunisé contre le découragement !

Je ne pus m'empêcher de rire.

« Tu veux vraiment mettre le grappin sur cette fille, hein ?

– Oui, je veux ! Est-ce que ça pose un problème ? »

J'esquivai immédiatement le débat. Il allait devoir barboter dans ce foutoir tout seul. Moi, je voulais en finir avec Cathrine, et disparaître.

« Qu'est-ce tu veux, au fond, Maurice ? »

Qu'est-ce qu'il voulait dire ? Il s'était assis à côté de moi. Oh, non, voilà qu'il se mettait à parler sérieusement. C'était sans doute le mot *vouloir* qui avait initié ça.

« Tu as dit que je *voulais*, continua-t-il, parce que je suis amoureux. Alors je te demande : toi, qu'est-ce que tu veux ? »

Ça, ce n'était pas une question difficile.

« Je veux en finir avec Cathrine !

– En finir ! » Il ouvrit les bras. « C'est ça que tu veux ? En finir avec Cathrine, en finir avec cet appartement, t'en aller, même si on s'entend bien. Tu veux juste en finir avec tout ça ? Fini ! Tu veux partir. Tu ne connais pas le mot *aller vers* ? »

Ha, je le tenais !

« *Aller vers*, ça fait deux mots ! »

Il me lança un regard résigné.

« Tu recommences, soupira-t-il. Dès qu'on essaie de parler sérieusement, tu t'esquives. »

À cet instant, on sonna à la porte.

« Là, je m'esquive ! » soufflai-je, lui donnant raison pour cette fois. Je me dirigeais déjà vers la petite chambre quand il m'arrêta.

« Elle revient ! dit-il, aux anges. Peut-être qu'elle veut du café, finalement ? Tu vas ouvrir, toi, tu connais son père. »

Il devait avoir pété une durite. Ça pouvait aussi bien être Cathrine.

« Tu peux ouvrir toi-même !

– S'il te plaît, tu veux bien ? Va ouvrir, toi !

– Non, je ne veux pas. Vas-y, toi !

– Non…

– Hallo ! »

La porte d'entrée n'était pas fermée. Mahmoud avait laissé ouvert pour pouvoir entendre la fille du dessus rentrer chez elle. Et c'était une voix d'homme. C'est-à-dire, ni Cathrine ni Lærke.

« Hallo ! Mahmoud ? fit la voix dans l'entrée.

– C'est l'imam ! »

Le visage de Mahmoud s'éclaira. L'imam de Brønshøj ! J'enfouis mon visage dans mes mains. C'était exactement ce qu'il nous manquait.

« Hallo Mahmoud ! »

Voilà que l'imam se tenait dans l'encadrement de la porte, les bras ouverts et avec un large sourire. C'était un grand bonhomme, imposant de voix et de corps. Un pur concentré d'aménité.

Il avait bien entendu enlevé ses chaussures – une habitude à laquelle j'avais eu du mal à me faire. Je vis qu'il portait des chaussettes de ski. Un pantalon noir sans pli apparent dépassait de la grande tunique bleu clair qui couvrait le reste de son corps. J'avais déjà vu quelque chose d'équivalent au Salon du camping, au centre de congrès Bella. Grosse barbe, bien sûr – je crois que c'est *obligatoire* –, et une sorte de toque blanche sur le sommet du crâne. Un joyeux drille !

Mahmoud et lui échangèrent trois accolades enthousiastes. Comme les femmes des hautes sphères qui se font des bises sur la joue bonjour-bonjour-c'est-un-adorable-et-chic-truc-que-tu-portes-un-peu-comme-le-mien-l'année-dernière, mais là, c'était avec force, des accolades musclées qui mettaient à contribution le corps entier. Des gens consciencieux.

Dans le même temps, ils échangèrent quelques phrases tout aussi enthousiastes, en arabe. J'étais donc un peu à l'écart.

Peut-être aussi parce que l'imam n'avait apparemment pas remarqué ma présence. Une fois l'aspect rituel terminé, il se dirigea à grands pas vers la cuisine, quand Mahmoud le stoppa.

« C'est mon ami, Maurice, expliqua-t-il en danois. Celui dont je t'ai parlé. »

L'imam se tourna vers moi et son visage s'éclaira de nouveau d'un grand sourire. Il semblait en avoir un stock inépuisable.

« Aaaaah, le Maurice Olsen ! »

Il se précipita sur moi, les bras ouverts, ignora ma main tendue et me projeta trois fois contre sa poitrine.

« Alors on parle danois, comme ça le Olsen aussi comprend, ce qu'on parle, quand on parle. »

Il pivota sur ses talons et reprit son expédition interrompue vers la cuisine.

« Johansen, corrigeai-je. Je ne sais pas si Johansen est un nom fréquent, à Brønshøj ? »

L'imam stoppa net – Khalid Yasin, qu'il s'appelait. Je m'en souvenais ! Comme s'il venait de se souvenir de quelque chose, il se tourna vers moi et annonça avec gravité :

« Tu ne dois te laisser te séparer, Johansen, sinon c'est la mauvaise humeur chaque jour ! »

Puis il remit le cap sur la cuisine, en continuant son discours par-dessus l'épaule : « Et aussi peut-être des petites boules dans la gorge, qu'ils grandissent et grandissent, parce que tu ne jamais… Hein ! »

Il avait atteint le frigo, ouvert et mis la tête dedans aussi profondément qu'il lui était possible.

« Mais dis donc, ici tu habites bien joli, Mahmoud, fit-il, avec un léger écho.

– Merci, répondit Mahmoud en se pavanant fièrement devant moi.

– Peut-être je peux me prendre un petit bout avec pain ? » entendit-on depuis le frigo.

L'imam en ressortit, avec sa prise. « Ceci a l'air d'être un saucisse d'agneau très chouette ! Mais peut-être je me demande où se trouve une assiette ? »

Il jeta un regard circulaire et s'épanouit en découvrant les assiettes.

À ce moment-là, l'iPhone sonna. C'était celui de Mahmoud,

aussi me contentai-je de le pointer du doigt. Son propriétaire lança un regard à l'écran.

« C'est encore Maman. Je ne décroche pas. »

L'imam, choqué, se tourna vers lui.

« Ta maman qui appelle toi, et tu pas prends ce téléphone ? »

Mahmoud soupira.

« Ma Maman m'appelle, et je *prends* ce téléphone. »

Il saisit l'iPhone et le colla à son oreille. « Allô ? »

Et voilà que le Nokia se mettait à sonner aussi !

Je me dépêchai de décrocher. « Allô ! »

C'était Cathrine. Elle voulait savoir quand le jeune homme souhaitait qu'elle vienne.

« Il ne faut pas que tu viennes du tout ! » hurlai-je.

La discussion dans l'autre téléphone avait lieu en arabe. Pour entendre ce que je disais, il fallait donc que je crie aussi.

Pendant ce temps, l'imam avait sorti la moitié du contenu du frigo. En plus de la saucisse d'agneau, un bol de délicieux cornichons confits, quelques tranches de rosbif, des sardines, des blancs de poulet marinés, des œufs durs, du saumon fumé et un grand tube de mayonnaise avaient rejoint l'assiette sur la table.

Tout en continuant de hurler dans son téléphone, Mahmoud s'empressa de sortir le Motherfucker du four, histoire de prévenir tout accident tragique.

L'imam s'installa à table entre nous deux, chacun hurlant dans son téléphone, se frotta les mains et entama son festin sans se laisser distraire.

Je n'avais aucune idée de ce que Mahmoud racontait à sa mère, mais j'expliquai sans ambiguïté à Cathrine que cette histoire de visite ne venait pas de moi, que c'était celui chez qui j'habitais qui s'était pris pour un négociateur de paix, mais qu'il n'y avait foutrement rien à négocier, et qu'elle pouvait demander à son avocat préféré de se bouger et d'arranger ces papiers, et, en tout premier lieu, qu'elle devait absolument se tenir loin, loin d'Avedøre.

J'écrasai le téléphone sur la table, exactement au moment où Mahmoud écrasait le sien.

L'un de nous avait gagné, l'autre perdu. Cathrine ne venait pas, Maman venait.

L'imam releva la tête de son buffet.

« Ta maman vient ? dit-il, ravi, à Mahmoud. C'est chouette ! Je crois alors, je garde un peu de ce... C'est un gigot d'agneau, oui ? »

Puis son attention revint à l'assiette, et j'en profitai pour discrètement prendre Mahmoud à part.

« Il vide le frigo, chuchotai-je.

– Hum. Et alors ? » répondit-il en haussant les épaules.

J'étais forcé d'utiliser une ruse un peu tordue.

« Et si l'autre, là-haut, descendait pour manger un bout ? dis-je.

– Elle descend ? s'écria-t-il en prenant des couleurs. Elle l'a dit ? Tu lui as parlé ? »

Je suis un crétin ! Ne pas donner d'espoir quand on sait que ça n'aboutira qu'à de la frustration... Ne pas allumer de lumière là où il n'y en a pas.

« J'ai dit *si* ! m'empressai-je de souligner, si jamais elle vient ! »

Mais c'était trop tard, Mahmoud voyait déjà devant lui la villa, le clébard et la Volvo.

« Elle est très, très belle, dit-il, ému.

– Elle est très, très jeune », le repris-je, un peu moins ému.

Il me regarda droit dans les yeux, et je vis qu'il attendait une réponse sincère.

« Tu crois que j'ai une chance ? »

Bon sang, qu'est-ce que je pouvais bien répondre à ça ? Je ne voulais pas mentir à une personne sincère, mais pas non plus être brutal.

« Elle est de Hirtshals, dis-je alors. Je connais les Jutlandais. Ils n'embrassent jamais le jour même où ils tendent les lèvres. »

Chapitre 6

À propos des approches qui pourraient déboucher sur une invitation.

Quelques jours avaient passé, pas plus. Je commençais à trouver mes marques dans le quartier – c'était la première fois de ma vie que je venais à Avedøre. Et, à ma grande surprise, je me pris à aimer aller faire les courses. Mahmoud m'avait présenté à quelques commerçants arabes du coin, et étrangement, j'attachais de l'importance à les fréquenter.

Au bout d'un moment, on me reconnaissait. J'avais droit à un signe de la tête et un sourire quand j'entrais dans une boutique. Peut-être que c'était à cause du déodorant ? J'avais commencé à emprunter le roll-on Toutânkhamon de temps à autre.

Et il y a quelque chose qu'on peut avoir de nos jours chez un épicier arabe qu'on ne trouve pas ailleurs.

Je veux dire, le crédit.

Il me faut remonter loin dans mes souvenirs d'enfance pour retrouver l'époque où il était possible « de faire mettre ça sur sa note ». Quand j'entends ces mots de nos jours, je pense tout de suite à un P.-V. pour excès de vitesse. Mais ces petites boutiques sont à présent les derniers endroits, banques comprises, où des gens normaux peuvent obtenir un crédit. On n'est pas trop tatillon. Le propriétaire est là en personne, ou alors un proche, quelqu'un de sa famille. Et on peut toujours discuter de la TVA.

J'appréciais de faire mes courses ici, même si habituellement je préfère les produits frais. Bien qu'ils soient très politiquement incorrects, je dois avouer que les rayonnages étaient presque libérateurs. Soyons honnêtes, une bonne partie de ce qu'on y trouvait n'aurait pas dû avoir le moindre intérêt pour un consommateur responsable et avisé comme il me semblait l'être.

Mais tout ceci me procurait un certain soulagement.

Autrefois, on pouvait arracher, ravi, sans gêne, le papier d'une plaquette de chocolat. Maintenant, on doit se cogner toutes les infos sur le beurre de cacao, le mode de culture, le degré d'équité des transactions, la responsabilité envers les petits producteurs du Pérou, et connaître toute la vie de la fève de cacao pour pouvoir apprécier un petit délice avec son café.

D'ailleurs, le café, tant qu'on y est. C'est qui ce Max Havelaar ? Et pourquoi est-ce que je ne peux plus apprécier un petit verre de lait ordinaire sans me sentir coupable ? Parce que je n'ai aucune connaissance intime et personnelle du type qui l'a extrait de la vache ?

C'est pourquoi le moment où j'allais faire mes courses était devenu mon petit rayon de soleil quotidien. Il vaut peut-être mieux que je mette un bémol avant qu'on m'accuse d'enjoliver. Le quartier était horrible. Un désert de béton. Et au mois de décembre, quand les pluies de Noël ont commencé à tomber, Dieu sait que ça n'embellissait pas le coin. Ou Allah sait, peu importe. Au-delà de toute considération religieuse, ça devenait mouillé et froid, et c'est de ça que je parle.

Et comme je rentrais les bras pleins de commissions, j'appréciais l'idée des sacs en papier kraft, réutilisables, tout en jurant contre le manque de modernité des sacs de courses des épiciers arabes.

Je veux dire, les anses.

Il y a une histoire comme quoi le Prophète ne veut pas qu'on utilise d'anses ?

En contrepartie, j'avais pu discuter le bout de gras avec les gens qui travaillaient dans la boutique. Ou, pour être plus précis, qui *étaient* dans la boutique. Ou même, *étaient là et attendaient*.

Mais enfin, ce dont j'avais besoin se trouvait là. On ne savait pas toujours où, mais on pouvait demander. Et il y avait toujours quelqu'un qui finissait par trouver ce qu'il me fallait. Alors tout le monde était content, et on me tendait le paquet avec un pouce écrasé sur la date de péremption. C'était un vrai bazar, mais au fond, ça me convenait parfaitement.

Sans donner dans le pompeux, je me sentais un peu plus humain en sortant de l'établissement. Au supermarché moyen, je sortais un peu moins humain et un peu plus consommateur. Quelle horreur, ce mot !

Et je préfère passer à la caisse en bataillant avec une sympathique barbe en plein naufrage grammatical que rencontrer le regard vide, à la caisse d'un supermarché, d'une jeune personne blasée, dont l'horizon intellectuel égale celui d'un torchon people. Avant, on avait au moins droit à un vague marmonnement – 7,85 – 19,75 – 37,50 – 49,10 et ainsi de suite. La *vox humana* à son plus faible niveau. Maintenant, même ça c'est terminé.

Je ne sais pas si on a craint que ces sons légers ne réveillent l'humain à l'intérieur du consommateur, mais maintenant, toute voix a été réduite au silence, remplacée par une machine qui se contente de biper quand on passe un code-barres sur le scanner.

La suite logique est évidemment de se poser la question : pourquoi ces jeunes gens blasés doivent-ils rester assis là à regarder ?

De plus en plus d'endroits proposent des caisses automatiques. Le système répond aux attentes de la dernière devise en matière de bien-être d'une société individualiste : fais-le toi-même !

Deux jeunes traînaient juste devant la porte de notre immeuble. Ils avaient posé leurs mobylettes contre le bassin. Jadis, il avait contenu des carpes, et il avait été financé par la commune pour améliorer l'environnement. Il ne restait maintenant que l'eau, les carpes étaient mortes, et les bords du bassin servaient surtout de cale pour mobylettes.

Les deux jeunes avaient remarqué que je m'étais installé
et demandèrent si j'avais commencé un stage chez les bougnouls. Ce que je dus nier – ça aurait détonné sur mon C.V.
J'aurais bien voulu leur tendre la main, mais j'avais peur de
faire tomber les sacs de commissions – j'insiste, des anses,
bon sang !

De toute façon, ce n'est pas sûr que les jeunes auraient
lâché la manette des gaz. Alors j'expliquai simplement que
c'était temporaire, qu'une de mes connaissances avait la
gentillesse de me loger parce que j'étais en plein divorce avec
ma femme. Qui habitait dans notre maison. Dans le beau
quartier de Værløse. Ce n'était pas pour me vanter, c'est
juste que c'était comme ça.

« Pourquoi t'as pas foutu la pute dehors ? » demanda l'un
des deux.

La pute ? Il me fallut un instant pour comprendre qu'il
parlait de Cathrine.

Était-ce une façon de parler d'elle ? Non. Elle n'aurait
jamais pu s'en sortir dans cette branche.

Alors, les garçons partirent.

C'est étrange, cette histoire de toujours devoir être
quelque chose partout où on va. Je ne suis ni un bougnoul ni
le contraire, quoi que ce soit. Il s'agissait d'un arrangement
pratique, un service rendu par une personne appréciée. Mais
ça ne voulait pas dire que j'adhérais à la détestable charia ni
ne trouvais qu'on devrait instaurer une société parallèle où
les imams pourraient n'en faire qu'à leur tête. Bon sang, les
frigos des gens seraient tous vides !

Je gravis quelques marches et m'étonnai encore. Cette
cage d'escalier avait quelque chose de spectral. J'habitais
maintenant là depuis plusieurs semaines, et je ne rencontrais
jamais personne. Dans mon quartier résidentiel, on se disait
au moins bonjour par-dessus la haie, ou on trouvait un sujet
sur lequel se plaindre. Mais ici, c'était le silence, pas un chat.
Sur le tableau d'affichage près de l'ascenseur, une petite note

sale pendouillait depuis un an et demi. À propos du tri des déchets. C'était tout, à part ça tout était mort.

En arrivant au septième par l'ascenseur, j'aperçus la fille du dessus, Lærke, qui s'échappait dans l'escalier vers le huitième. Qui sait pourquoi elle n'utilisait pas l'ascenseur ? La porte de chez Mahmoud était ouverte. Je pensai à enlever mes chaussures. Quand j'entrai dans le salon avec mes sacs de courses, Mahmoud me tournait le dos, occupé à mettre un disque sur la platine.

Let there be you,
Let there be me.
Let there be oysters,
Under the sea.

Let there be birds...

Il se retourna, affichant un grand sourire chaleureux. Qui s'envola dès qu'il me vit, remplacé par une expression déçue. Il lança un regard circulaire dans le salon, puis se précipita dans l'entrée et en revint, abattu.

« Elle était là, dit-il.

– Qui ça ? eus-je le temps de demander, avant de me rendre compte qu'il ne pouvait être question que d'une seule personne. Je l'ai aperçue dans l'escalier, dis-je alors.

– Elle se tenait juste là où tu es. Elle m'a demandé de mettre un disque, et quand je me suis retourné c'était toi. »

Je niai toute responsabilité. Je n'y étais pour rien.

« Qu'est-ce qui s'est passé ? » demandai-je en déposant enfin les sacs sur la table de la cuisine.

Il me raconta. Et maintenant que je transmets son récit, sachez que c'est exactement ce que Mahmoud m'a dit. C'est assez détaillé, et on peut éventuellement se demander comment ce jeune homme peut se souvenir de tout avec autant de précisions. Tout ce que je peux dire, c'est qu'il a une mémoire quasi parfaite pour ce qui l'intéresse. Et Lærke l'intéressait beaucoup !

En ce qui me concerne, j'ai dû prendre des notes. À mon âge, la tête n'est plus ce qu'elle était. Et je ne parle pas que des cheveux.

Je vais maintenant raconter ce qui s'est passé pendant que j'étais absent, comme si j'étais une mouche sur le mur. J'avoue que c'est une image un peu étrange, et j'ai moi-même un peu de mal à me l'imaginer. Alors essayons avec un autre animal.

Il se trouve qu'à peine étais-je parti faire les courses, Mahmoud s'était emparé de tout un tas d'outils et d'une burette, et s'était jeté sur le palier avec la ferme intention de réparer la porte d'entrée. Certes, il n'y avait absolument aucun problème avec cette porte, mais de cette façon, il pouvait surveiller l'escalier tout en ayant l'air d'être en plein travail.

En gros, il bloquait totalement l'escalier. Il n'y avait qu'un appartement par étage, et les étages étant au nombre de huit, elle allait forcément finir par passer. Malin !

Il était resté là un long moment sans que rien ne se passe, et avait fini par être réveillé par le bruit de l'ascenseur dépassant le septième. Il l'avait entendue sortir sur le palier du huitième.

« Hello ! avait-il hurlé, hep, hop, hello hop ! »

Il ne savait pas vraiment quoi dire, et n'avait pu exprimer que des sons au hasard. Elle avait regardé par-dessus la rambarde et vu un homme étalé sur le palier, en train de faire des bruits étranges. Évidemment, elle s'était précipitée vers lui pour voir ce qui n'allait pas.

Elle fut accueillie par un sourire rayonnant de l'homme étendu et stoppa net. Un peu vexée. Y avait-il quelqu'un qui se moquait d'elle ? Une caméra cachée ? Elle avait lancé de rapides regards tout autour d'elle.

« Quoi, encore ? avait-elle demandé. Qu'est-ce que tu fais là par terre ? »

Mahmoud fut sur pied en un clin d'œil.

« J'étais en train de réparer la serrure, avait-il expliqué. Elle est cassée, elle a tendance à se bloquer. Je n'ose presque plus fermer la porte.

– Alors ne la ferme pas, avait-elle répondu en reprenant l'escalier vers chez elle, Mahmoud sur ses talons.

– J'étais aussi en train de la huiler, pour que la porte ne grince pas, avait-il repris, hors d'haleine. Pour ne pas déranger mes voisins !

– Ma porte grince », avait-elle dit, laconique.

Quelle chance !

« Je peux monter la huiler pour toi, si tu veux ? Je veux bien !

– J'aime bien quand ça grince, ça met de la vie, avait-elle lancé avec un sourire sarcastique. Alors non merci ! »

Il s'était précipité devant elle et lui avait barré la route, en désespoir de cause. Il n'avait aucune idée de ce qu'il pouvait dire, mais sentait qu'il fallait faire quelque chose. Sinon, elle disparaîtrait, et jamais il n'aurait d'autre chance comme celle-là.

« Ça te dit pas de passer chez moi ? »

Tout simplement.

« Pourquoi ?

– Parce que… » Son cerveau était sous haute tension. « Parce que c'est important. Tu veux ? C'est vraiment important… »

Elle avait réfléchi un instant et fini par hausser les épaules. Pourquoi pas ? Il était repassé devant elle et retourné dans son appartement, à reculons, sans la lâcher une seconde du regard. Elle l'avait suivi lentement, assez désorientée. Il avait dû se sentir comme un pêcheur à la ligne aux prises avec une proie délicate, gardant la ligne tendue de toutes ses forces.

Enfin, ils étaient dans l'appartement, et il avait poussé un soupir de soulagement. Ça avait duré un moment, puis il s'était rendu compte que venait l'étape suivante. Et maintenant ?

Elle avait croisé les bras et l'avait fixé d'un regard inquisiteur.

« Et ? » avait-elle demandé.

Il avait pris une profonde inspiration.

« J'aimerais dire quelque chose maintenant, quelque chose qui n'est pas pour rire, avait-il commencé avec beaucoup trop de respiration dans la voix. J'aimerais dire quelque chose que je pense sérieusement. Je voudrais demander pardon. Pour toutes ces nuits avec le réveil.

– Ça fait trois semaines, oublie ça ! Salut ! »

Elle avait tourné les talons.

« Je te raccompagne ? »

Elle avait de nouveau fait demi-tour et l'avait examiné. Il avait un problème ou quoi ?

Il l'avait fixée d'un air vide. Que lui restait-il comme prise ? Quel angle d'attaque avait-il encore en stock ? Aucun. Et pourtant, si !

« J'ai plein de vinyles, il y en a des rares ! »

Ses épaules s'étaient affaissées, elle était stupéfaite.

« Dis-moi, on est en 2012 et tu demandes à une nana si elle veut aller chez toi voir ta collection de disques ? C'est bien ça ? J'ai bien entendu ?

– Mais... J'ai du Nat King Cole !

– Aha. Très bien. »

Elle avait encore une fois amorcé son demi-tour, et il avait senti qu'il fallait faire quelque chose. C'était maintenant ou jamais. Encore...

« Non, c'était pour autre chose », avait-il lancé.

Elle s'était arrêtée.

« C'est que... Il y avait aussi... »

Elle continuait de le fixer de son air interrogateur, et lui essayait de rassembler tout le courage dont il était capable.

« Il se trouve que... lança-t-il enfin avec un regard fuyant. Enfin... Depuis la première fois que tu m'as crié dessus, j'ai eu un sentiment que... je voulais te dire que... te regarder droit dans les yeux et... »

Finalement, il n'avait pas rassemblé assez de courage.

« Un cadeau ! éructa-t-il. Que j'ai acheté ! Attends une seconde. »

Il s'était précipité dans la chambre, et on aurait dit que le contenu de toute une armoire était balancé sur le sol. Il avait passé la tête dans l'encadrement de la porte, avec un grand sourire et avait lancé : « Juste un instant ! » Puis il y avait encore eu des bruits de choses qu'on déplace vivement, et quelques « bordel, c'est où ? ». Pourtant, Mahmoud ne jurait jamais, mais il avait apparemment une bonne raison de faire une exception.

Enfin, il était revenu dans le salon avec un paquet dans les mains. Eh oui, exactement. C'était ce paquet-là.

Elle avait eu l'air étonné.

« Pourquoi tu m'achètes des cadeaux ?

– C'est pour m'excuser, expliqua-t-il. Voilà, c'est pour toi ! »

Elle avait pris le paquet en hésitant et l'avait regardé.

« C'est pas pour moi, c'est pour toi, avait-elle dit en lisant l'adresse. Mahmoud Abu-truc, septième étage… Il vient des Émirats arabes unis. Je t'ai apporté ce paquet moi-même ! »

Elle avait voulu le lui rendre, mais il s'y était opposé, ses mains ouvertes en signe de refus.

« Non, non, avait-il répondu, c'est pour toi ! Je l'ai commandé spécialement pour toi. Expédié d'Abu Dhabi !

– Il aurait fallu que je prenne des cours pour l'ouvrir, ton paquet, avait-elle soupiré. C'est quoi ?

– C'est un de ces réveils, tu sais, avait-il répondu promptement.

– Identique à l'autre ?

– Comme ça tu peux me rendre la pareille !

– J'en ai déjà un.

– Mais qui n'est pas à toi ! Celui-là est à toi ! »

Elle ne pouvait pas nier qu'elle était sciée. C'est l'unique avantage d'utiliser une stratégie semant la confusion.

« Je peux donc moi-même me réveiller tous les matins à quatre heures et demie ? demanda-t-elle, incrédule. Tu es un type bizarre, tu le sais, ça ?

– Merci... » Il avait baissé les yeux. « Je n'avais encore jamais offert de réveil à une fille.

– Sans rire ? »

Elle s'était inconsciemment laissée tomber sur le bras du canapé. Avait-elle bien entendu ?

Mahmoud avait souri timidement.

« Non, c'est vrai, c'est la première fois... »

Que pouvait-il dire de plus ?

« Tu veux t'asseoir ? » avait-il tenté.

Lærke s'était relevée immédiatement. Le timing n'a jamais été le point fort de Mahmoud.

« Bon sang, non, j'veux pas m'asseoir ! s'était-elle énervée en lui rendant le paquet. Je ne me mêle pas des croyances des autres, j'ai juste pas envie de les entendre toutes les nuits !

– Toi, tu crois en quoi ? » s'était-il empressé de rajouter, surtout pour éviter le « salut » qui lui pendait au nez.

Elle avait haussé les épaules.

« Je suis plutôt gréco-catholique façon Ukraine », avait-elle balancé indifféremment.

Aha – il en avait entendu parler.

« Et toi ? avait-elle demandé presque agressivement. T'es du genre orthodoxe, non ? Nous autres, on est tous dans l'erreur, d'après toi ?

– Nan », qu'il avait protesté. La question était déstabilisante. « C'est sans doute surtout parce que j'ai l'habitude d'être comme ça.

– Alors tu pries six fois par jour et tout ?

– Non, juste cinq ! »

Il trouvait agréable de pouvoir répondre précisément, pour une fois.

« Ah, tu dois être un musulman modéré. T'en as pas besoin toi-même, du coup ? »

Elle avait pointé du doigt le paquet et son emballage renforcé.

« Non, non, je ne voudrais pas déranger mes voisins !

– Comment est-ce que tu surveilles toutes tes heures de prières alors ? »

Voilà enfin quelque chose à montrer ! Il s'était empressé de sortir son iPhone de sa poche.

« J'utilise mon iPhone, avait-il expliqué, enthousiaste. J'ai downloadé une application, ça s'appelle iPray. Elle se synchronise avec mon calendrier, et il y a aussi une boussole intégrée, ici...

– Pour éviter que tu te retrouves par terre sur un tapis, à bricoler je sais pas quoi en direction de Göteborg ? » avait-elle alors demandé avec ironie.

Voilà qu'il était en pleine confusion. Elle venait apparemment de faire ce que son ami Maurice aurait appelé de l'humour. Et Mahmoud avait raison – je n'aurais pas hésité.

Il avait décidé de jouer le jeu.

« Les Suédois sont très tolérants ! » avait-il souri. Est-ce que c'était drôle ? Aucune idée. Peut-être. C'était une tentative honnête, en tout cas. Et elle n'était pas encore partie.

« En tout cas, l'iPhone ne fait pas autant de bruit que le réveil, c'est sûr, avait-elle admis.

– Non, hein ! avait-il éructé, totalement emballé.

– Et celui qu'on entend hurler, du coup, c'est un iMam ? »

Il ne l'entendit même pas, si pressé qu'il était de poursuivre la démonstration.

« On peut même utiliser des écouteurs ! Tu veux essayer ? »

Il avait sorti à toute vitesse une paire d'écouteurs blancs de sa poche.

Elle avait eu l'air presque effrayé.

« Non, merci. Plutôt l'autre là, alors... Kong Kill. »

Nat King Cole ! Elle s'en souvenait ! Elle voulait écouter le disque ! Lærke voulait écouter un de ses disques !

« Tout de suite ! » avait-il jubilé en se précipitant vers l'étagère pour farfouiller dans les albums. Il fallait que ça soit quelque chose de particulier !

Lærke avait fait ce que la plupart des femmes auraient fait dans sa situation. Quand un homme commence à fouiller dans sa collection de disques avec autant d'excitation, il y a une pensée qui jaillit dans leur tête, effaçant tout le reste : faut que je me tire !

Elle avait disparu par la porte. Un instant plus tard, j'arrivais avec mes sacs.

La suite, vous la connaissez.

J'étais donc planté là.

Let there be you,
Let there be me.
Let there be oysters
Under the sea.

Let there be birds…

Mahmoud était déçu. Mais comme d'habitude, il resta optimiste.

« Peut-être qu'elle s'est souvenue d'un truc qu'elle devait absolument faire tout de suite. »

Je choisis de m'abstenir de tout commentaire, et commençai à ranger les courses. Mahmoud resta dans son coin à réfléchir le temps que la chanson se termine. Puis il remit soigneusement le disque à sa place et s'installa à la table, pensif.

« Maurice, dit-il enfin. Tu veux bien m'aider ? »

Bien sûr que je voulais bien l'aider. À quoi ?

Il me demanda de m'asseoir, je laissai donc les derniers achats en vrac sur la table et m'assis pour lui consacrer du temps.

Un moment passa avant qu'il ne se décide. Ça devait être quelque chose de conséquent, me dis-je. Et les minutes qui suivirent allaient me donner raison. Mais d'abord :

« Tu ne dois pas rire, dit-il doucement.

– Ça risque d'être difficile, je suis en plein divorce », répondis-je en m'esclaffant. Oh non, pas encore ! Pas maintenant. Même moi, je trouvais ça de mauvais goût. On ne doit pas faire de l'humour quand d'autres veulent parler sérieusement.

« Pardon, dis-je, sincère. Alors, qu'est-ce qu'il y a ? »

Il prit une profonde inspiration.

« Je veux me marier avec elle ! » déclara-t-il.

Je le fixai, incrédule. Il dut en déduire que ça méritait d'être explicité.

« Avec Lærke, je veux dire.

– Tu es malade ! éructai-je spontanément. Tu ne connais même pas son numéro de compte en banque !

– Je voulais lui faire écouter quelques-uns de mes albums, mais elle est partie. »

J'attache de l'importance à l'innocence. Dans notre société, c'est une qualité fortement sous-estimée. Mais bon sang, il devait bien comprendre que l'excitation procurée par la musique des années cinquante à une jeune femme d'aujourd'hui pouvait être limitée.

Non, il ne pouvait pas le comprendre. Ce qui est le plus attirant pour une personne a toujours été ce qui lui était inaccessible. D'après lui, les jeunes femmes comme Lærke devaient être folles de romantisme, chose qu'elles ne pouvaient trouver dans la techno, le death metal ou même le hip-hop. Quelle époque cynique. Je m'empressai d'écrire les termes qu'il venait d'énoncer sur un post-it. En ce qui me concerne, il aurait aussi bien pu parler de physique quantique. J'aurais même préféré.

« Mais regarde, là, dit-il en pointant le doigt, toute cette étagère est pleine de romantisme ! »

Il saisit des albums de sa collection : *Let there be love, Walking my baby back home, It's only a papermoon.*

« Quand je les écoute, Maurice, je me sens en paix. Je me sens mieux à l'intérieur ! Ça me donne le sourire, et l'envie d'être avec quelqu'un. J'aimerais bien partager ces sentiments avec elle.

– Ce serait plus pratique si, disons, elle était là, lâchai-je, mais il n'entendit pas.

– Écoute ces morceaux, insista-t-il, c'est plein de bons conseils pour ceux qui sont amoureux. »

C'est un peu triste de crever le petit nuage des gens en plein délire. Mais c'est aussi un peu moche de les laisser croire que ce nuage existe.

« Écoute, tentai-je. Donc, tu as toutes les expériences de la vie dans une étagère de disques… »

Il hocha vivement la tête. « Exactement ! »

Je soupirai. Ça allait être difficile.

« Et tu les utilises plus que le Coran ? Ou tu passes un peu de l'un à l'autre ? »

La question était absolument ironique, mais la réponse ne le fut pas.

« Tu sais quoi… dit-il en cherchant les mots exacts. Ils parlent tous deux à mon cœur. Il n'y a rien qui soit chanté sur ces albums qui ne soit pas dit dans le Coran.

– Et tu es sûr que tu as écouté tout Sinatra ? »

Son attention était déjà ailleurs. Il savait maintenant ce qu'il voulait, il lui restait seulement à trouver comment.

« Je pourrais préparer un beau dîner ? suggéra-t-il. Qu'est-ce que tu en penses ?

– C'est pas bête du tout, Mahmoud, avouai-je. Fais-le ! J'irai au cinéma pendant ce temps. »

Il me considéra, surpris. Presque inquiet.

« Non, j'aimerais bien que tu sois là. C'était ça que je voulais te demander. »

Il avait perdu les pédales !

« Et tu voudrais que je reste là à… Bon sang, non !

– Mais je voudrais que ça soit parfait, demanda-t-il. Je suis très sérieux, là. Je voudrais préparer une belle table, faire un repas vraiment bon, et… des serviettes ! Je suis doué pour plier les serviettes ! »

Ah, oui. Qu'est-ce qui pourrait bien aller de travers, dans ce cas ?

« Parfait, mais deux serviettes suffiront, je serai au cinéma.

– Non, ça n'ira pas, insista-t-il. Je suis danois, oui ! Mais je suis aussi à moitié d'une autre culture, et celle-là me demande d'être très soigneux pour une demande en fiançailles.

– Une demande en fiançailles, ça se gère tout seul ! » Il fallait bien qu'il le comprenne !

Mais non, il secoua la tête.

« Pas au début ! martelait-il. Ce serait bien trop osé si j'étais là seul. Tu es plus âgé que moi. Tu es mon patron, et mon ami, ce serait un peu comme si mon père était là. C'est comme ça que ça doit être. Et ainsi, tout ira bien ! »

Que dire ? Tout ça dépassait de loin mon domaine de compétences.

« Si vraiment ça doit être comme ça, soupirai-je, pourquoi tu ne demandes pas à ton père ? »

Il se fit un peu distant.

« Mon père ne parle pas danois, expliqua-t-il. Ça n'ira pas. Pas au début. Elle dit qu'elle est gréco-catholique, et ce n'est pas le cas de mon père. »

Autant prendre le taureau par les cornes.

« Ce que tu veux dire, c'est… que ton père n'est pas très tolérant, c'est ça ? »

Il hésita un peu, détourna les yeux et dit :

« Mon père n'est plus là. »

Alors c'était pour ça qu'il parlait tout le temps de sa mère et jamais de lui. Pourquoi n'avais-je pas remarqué qu'il ne venait jamais en visite ni n'était mentionné ? Je me sentis bête et obtus. J'aurais dû lui demander depuis longtemps.

« Il est rentré en Jordanie ? avançai-je prudemment. C'est pour ça qu'il n'est plus là ? Ou est-ce que… ? »

Il secoua la tête. Ça faisait trois ans et demi, et il ne voulait pas en parler maintenant.

Son père était donc mort.

« Je ne voulais pas dire que tu devais remplacer mon père à ce repas », expliqua-t-il. Il ne voulait pas en parler davantage. Pas maintenant, en tout cas. « Je crois que je voulais surtout dire que j'aimerais que tu sois là en tant qu'ami plus âgé. »

Je retins mon souffle. Comment est-ce que je pourrais dire non à ça ?

« Tu ne comprends pas, plaida-t-il d'un ton pénétrant. Pour la première fois, je ressens quelque chose de sérieux pour une femme. Mes intentions sont sérieuses, c'est pourquoi ce repas doit être tout à fait sérieux aussi. Ça doit être selon les règles, et ce sera le cas si tu es là ! *Please !* »

Pour quel genre de personne me prenait-il ? Je ne pouvais pas rester là à agir de façon aussi moche devant tant de cœur. Tout espoir devait-il être mis à terre par des personnes rationnelles tournant le pouce vers le sol, quand une âme innocente veut tenter l'impossible ? Allais-je me joindre à la foule des gens qui ont les pieds sur terre, les idiots pragmatiques, qui avaient autrefois secoué la tête devant Christophe Colomb, Knud Rasmussen et Edmund Hillary en disant : « Ça va pas le faire » ?

Nous recherchons tous l'amour sans avoir la moindre idée de l'endroit où le trouver. Pourquoi une direction serait-elle meilleure qu'une autre ?

Et d'ailleurs, où étais-je allé, moi-même ? Vingt-huit longues années, et j'étais là assis avec Mahmoud, sans jamais vraiment être allé plus loin que lui. Alors pourquoi élever des objections, plutôt que d'aider à ouvrir le chemin vers ce point où deux personnes peuvent se regarder dans les yeux et dire « Tu peux compter sur moi ! » ?

Il restait bien entendu une seule chose à dire à Mahmoud.

« Quand ?

– *Yes !* jubila-t-il. Dès que possible. C'est bientôt Noël, je vais préparer des décorations pour que ça soit plus sympa. »

Il me semblait pourtant que les musulmans ne fêtaient pas Noël, mais Mahmoud pensait que pour l'occasion, ça valait le coup de faire un effort.

« Tu vas faire ton invitation en direct ou envoyer une lettre ? »

Il me regarda, stupéfait.

« Mais, je ne vais inviter personne. C'est toi qui dois inviter. »

Non mais… Voilà autre chose !

« Je dois m'occuper de l'invitation, parce que tu es amoureux ? demandai-je, dubitatif.

– Tu connais sa famille, tu l'as dit toi-même ! sourit-il, ravi et plein d'espoir.

– Mais ça, elle n'en a rien à cirer ! protestai-je vainement. Ça fait plus de dix ans, et c'était à Hirtshals ! J'avais rendez-vous avec son père, et elle, je l'ai juste aperçue dans la cuisine ! La seule raison pour laquelle je me souviens d'elle, c'est qu'elle a eu l'amabilité d'utiliser le terme *fada* ! »

Mahmoud ne chercha pas à argumenter. Il dit simplement : « *Please !* »

Là, c'était trop ! Plus question de faire des yeux de chien battu, je réagissais à l'inverse. Qu'il n'ose même pas l'inviter lui-même, c'était trop.

« C'est ton dîner ! assenai-je en lui enfonçant mon index dans la poitrine.

– Non, non ! argua-t-il. Je serai juste là ! Disons, comme par hasard. Et comme ça, peut-être qu'on finira par discuter un peu, par hasard. Voilà les règles : il faut que ça donne l'impression que je n'y suis pour rien. C'est toi qui invites !

– À un dîner aux chandelles ? »

Il se précipita, le visage illuminé, vers un placard qu'il commença à retourner.

« Des chandelles ! Merci ! J'avais oublié ! »

La fille avait raison. Il était fada.

« Je veux bien t'aider, Mahmoud, mais ça n'ira tout simplement pas. J'ai au moins trente ans de plus qu'elle, elle va me prendre pour un vieux pervers ! Je ne peux pas inviter une jeune fille à dîner ! »

Il s'arrêta net, surpris.

« Mais enfin, tu n'auras à inviter aucune jeune fille... »

Voilà qui était rassurant, j'étais passé à deux doigts de l'arrêt cardiaque.

« Pour qui tu me prends ? reprit-il. Ça doit être selon les règles, comme je l'ai dit. Tu dois inviter ses parents à dîner ! »

J'eus un hoquet. Ses parents ?

« Bien sûr, dit-il avec son grand sourire. C'est comme ça qu'on fait. Pour qu'ils apprennent à me connaître. Je ferai peut-être bonne impression ! »

J'étais hors course. À ce stade, je devais vérifier si j'avais bien compris la situation.

« Tu veux inviter ses parents... » Il hocha la tête, rayonnant. « Mais pas elle ?

– Mais non ! Pas la première fois. Je suis un garçon sérieux.

– Elle ne doit pas être là ?

– Bien sûr que non ! s'indigna-t-il. Il ne s'agit pas d'une histoire d'un soir. Il faut que ça soit correct, combien de fois je dois le dire ? Tu vas les appeler ? »

Que dire ? Que répondre à ça ?

« Ils habitent à Hirtshals, dans le nord du Jutland ! me plaignis-je. Le père est exportateur de poisson ! »

Quel rapport avec l'affaire, eh bien... Quand on ignore tout de « l'affaire », comment savoir ce qui s'y rapporte ou pas ?

« Ils doivent bien venir à Copenhague de temps en temps, contra Mahmoud avec optimisme. Pour faire des signes de la main à la reine. Ou autre chose. Dis que c'est urgent ! »

Je n'eus même pas le temps de protester plus avant, il était déjà sur la suite du programme.

« Qu'est-ce qu'ils aiment manger, à ton avis ? Je ne connais presque pas de Jutlandais. Ils mangent quoi ? »

J'avais une envie pressante de l'attraper pour le secouer.

« Mahmoud, tout ceci est totalement surréaliste...

– En retour, je t'aiderai avec Cathrine ! »

Non merci ! Il en avait déjà bien assez fait ! Il allait faire que dalle, voilà !

« Tu n'invites *pas* Cathrine !

– Non, non, promis ! Et son avocat non plus. À ton avis, les parents, ça aime quoi ? »

Il n'y avait pas d'issue. Tout ça était une erreur. S'il pensait vraiment que ça fonctionnait comme ça, il valait mieux qu'il déménage en Jordanie.

Et puis je me dis que si l'histoire entre Cathrine et moi n'avait pas commencé sur le parking à deux roues du lycée, mais par une invitation à dîner envoyée à ses parents, ça ne serait sans doute jamais allé plus loin.

« O.K., Mahmoud, dis-je. Je vais le faire. Mais une seule fois ! »

Il ouvrit les bras. Il n'avait pas besoin de plus d'une fois.

« Je suis un imbécile, repris-je, mais d'accord. De toute façon, c'est sur toi que ça retombera. J'appellerai pour inviter à dîner l'exportateur de poisson et son épouse. »

Ne restait plus qu'à peaufiner la logistique et, à ce stade, autant faire les choses bien. Nous nous mîmes à réfléchir.

« Je ne bois que du Coca, dit Mahmoud. Mais j'achèterai du vin, pour eux.

– Plutôt de la bière, je crois.

– De l'agneau, c'est bien ? demanda-t-il. Ou plutôt du rumsteck ? Il vaudrait mieux éviter le poisson, j'imagine. Il paraît que les Jutlandais du Nord adorent la sauce, mais il vaut mieux mettre quelque chose avec, non ? »

J'avais une idée !

« Tu veux leur en mettre plein les yeux ? demandai-je.

– Oui. »

Il n'y avait pas vraiment de doute à ce sujet.

« Tu veux servir quelque chose qu'ils aimeront ?

– Oui. »

Assez peu de doute à ce sujet aussi.

« Tu veux faire bonne impression, sérieusement ?

– Oui. »

Indubitable.

« C'est bientôt Noël, et tu es courageux ?

– Oui. »

Sûr et certain !

« Rôti de porc. »

Chapitre 7

Ou le troisième dimanche de l'Avent chez un célibataire musulman.

Cette histoire de rôti de porc était évidemment un problème pour lui. Les musulmans ne sont pas, n'ont jamais été et ne seront sans doute jamais de grands fans du rôti de porc. C'est comme ça. Mais Mahmoud voyait bien que ce serait un signe flagrant de prévenance et d'ouverture, ainsi qu'un bon moyen d'écarter tout scepticisme de la part de ses invités. Sans même avoir à déballer tout un tas d'arguments compliqués et de déclarations d'intentions. Sans un mot, il se montrerait sans préjugés, et ferait ainsi quelques pas de géant vers l'instant espéré. L'instant où le couple de Jutlandais échangerait un regard disant : il est bien, ce garçon !

Ce serait merveilleux !

Il n'avait pas besoin d'en manger lui-même, il pouvait se contenter des pommes de terre et de la garniture. Les invités ne s'en formaliseraient pas, il y en aurait plus pour eux.

J'étais allé chez le charcutier pour réserver un solide rôti de porc. Il était important d'attendre le dernier moment pour aller le chercher. D'abord, il y avait le problème de Maman débarquant à n'importe quelle heure et fourrant son nez partout. Ce nez ne devait en aucun cas dénicher quoi que ce soit ressemblant à du porc dans l'appartement.

Ensuite, il y avait l'imam de Brønshøj. Lui aussi déboulait tout le temps, mais ne fourrait son nez qu'à un seul endroit : le frigo. Dommage, c'était là qu'il fallait conserver la défunte bestiole.

J'avais été obligé de m'arranger avec le charcutier de mon ancien quartier, à Værløse. Celui que je connaissais depuis vingt-huit ans, et qui habitait juste au-dessus de sa boutique.

Je dus le convaincre de me laisser venir chercher le rôti un dimanche à la mi-journée.

Il ne comprenait pas vraiment pourquoi, et trouvait du reste qu'il ne m'avait pas vu depuis longtemps. Je m'en excusai, mais n'avais pas besoin d'expliquer. Il était au courant pour le divorce.

« J'espère que ça n'a pas trop fait baisser ton chiffre d'affaires », dis-je pour plaisanter.

Il secoua la tête. Non, non.

« Depuis que l'autre type a emménagé avec elle, là... Je crois qu'il est avocat. Elle achète même plus qu'avant, et des produits plus cher. Alors je me plains pas. »

Bon sang, j'aurais dû m'en douter ! Question appétit, les avocats sont les seuls à pouvoir rivaliser avec les imams.

Dans le train du retour, le jour venu, le paquet brun sous le bras, je me dis que j'aurais peut-être dû être plus attentionné envers Mahmoud et aller chez un boucher halal. Mahmoud avait fait preuve de courage en franchissant ainsi une limite, ça n'avait pas été facile pour lui, et...

Et je me rendis compte de l'absurdité du fil de mes pensées. Du porc halal ?

Je saisis plus fermement le paquet brun, secouai la tête et cherchai du regard un journal gratuit dans le compartiment. Il me fallait quelque chose pour m'empêcher de penser.

Ensuite, il y avait l'histoire de la décoration. Mahmoud s'était montré hardi en disant que même si les musulmans ne fêtaient pas Noël, ils avaient bien le droit de décorer.

Dans la pratique, c'était un peu différent.

Maman.

« Maman est assez hardcore niveau religion, se plaignit-il. Ça ne l'emballe pas trop que ses enfants fêtent Noël. »

Mais il tenait quand même à l'idée et avait prévu un plan pour que nous – si je puis dire – puissions gérer l'affaire.

Tout d'abord, il avait invité Maman à boire le café dimanche matin. Elle était venue, mais assez soupçonneuse.

Pourquoi inviter quelqu'un qui a de toute façon l'habitude de débarquer à tout bout de champ ? Elle était même allée faire un tour dans la petite chambre. Peut-être pour vérifier si d'autres intrus s'y étaient installés.

La mère de Mahmoud n'était pas spécialement grande, et collait d'assez près au stéréotype banal de la mère de famille musulmane que les caricaturistes emploient à outrance. C'est toujours agréable de détruire un mythe ou démonter une idée reçue, mais bon, ce serait pour une autre fois. Sa tenue était telle qu'on l'imaginait. Les couleurs, à défaut d'être d'un noir flambant neuf, n'en restaient pas moins noires, et le créateur de l'ensemble avait clairement été influencé par les coussins marocains.

Alors que nous étions assis autour de la table, ce dimanche matin, avec nos tasses de café, les deux s'étaient hurlé dessus en arabe pendant que j'essayais de rayonner de bienveillance. J'avais fini par en avoir des crampes aux zygomatiques.

Soudain, la matriarche avait tourné la tête vers moi, m'avait lancé un regard plus noir que noir, puis avait secoué la tête, résignée.

Après son départ, j'avais demandé à Mahmoud de quoi ils avaient parlé.

« Elle trouvait que j'avais l'air nerveux, commença-t-il.

– C'est le cas.

– C'est normal, non ? Mais je ne pensais pas que ça se voyait.

– Vraiment ?

– O.K... avoua-t-il. J'espérais qu'elle ne verrait rien. Elle voulait savoir ce qui me rendait nerveux.

– Je pars du principe que tu ne lui as rien dit.

– Tu es malade ? Elle aurait fait condamner l'immeuble. J'ai dit que j'étais nerveux parce que c'était toi qui avais préparé le café. »

Le petit salopard ! Voilà pourquoi elle m'avait lancé ce regard !

Mahmoud rapporta qu'elle avait dit que ça se sentait, et que d'après elle, il devrait me tenir éloigné du pot de café. Puis elle était partie sans finir sa tasse.

Mais c'était faux ! C'étaient d'infâmes diffamations vis-à-vis des méthodes de dosages modérées ! Il avait fait ce café lui-même, c'est toujours lui qui le fait. Si c'est moi qui le fais, la cuiller ne tient pas droit dans la tasse. Le café avait exactement le même goût que d'habitude – exactement le même !

La mère de Mahmoud est une femme pleine de préjugés, et si un jour j'apprends à parler arabe, il y a deux ou trois trucs qu'il faudra que je lui explique.

Une fois la mégère partie, nous nous occupâmes des décorations de Noël. Il était très rare qu'elle passe deux fois dans une journée, mais pas impensable. Il nous fallait donc installer les décorations de façon à pouvoir les enlever en un clin d'œil.

Nous avions décidé de nous concentrer sur les guirlandes. Il y avait à la fois des cœurs, des cornets et des petits drapeaux danois – le plus important ! – mais pas d'ange. Ça aurait été trop pour Mahmoud, et je m'en moquais. Les petits anges étaient en carton blanc et jouaient de la trompette. Je découpai les figures et ne gardai que les trompettes sur les guirlandes. Ça pouvait toujours venir d'un orchestre symphonique.

L'aspect génial de l'installation, c'étaient les bandes élastiques ! Toutes les décorations étaient accrochées sur des élastiques de jogging, dont l'un des côtés était fixé dans un placard de la cuisine, et l'autre à l'opposé sur un petit crochet au mur.

Il y avait donc deux guirlandes de ce type.

Si Maman se pointait contre toute attente au beau milieu de la séance, nous pouvions nous précipiter vers les crochets de chaque guirlande pour les détacher. Celles-ci se précipitaient alors d'elles-mêmes dans le placard de la cuisine avec toutes leurs décorations, et il ne nous restait plus qu'à claquer les portes du meuble. Ainsi, le salon reprenait l'allure de n'importe quel salon à n'importe quel moment de l'année.

Nous avions fait plusieurs essais, et tout pouvait être camouflé en moins de trois secondes.

Deck the halls with boughs of holly
Fa la la la la la la la la
'T is the season to be jolly
Fa la la la la la la la la

Bien entendu, Mahmoud avait déniché un tas de vinyles de Noël. C'était plutôt agréable. Je jetai un coup d'œil rapide à la pile. Il n'y avait que des chansons de Noël anglaises et américaines.

« Tu n'as pas du Gustav Winckler ? » demandai-je. Il en avait.

« Si, mais Gustav Winckler ne sera jamais Nat King Cole », répondit-il. Ce qui était assez imparable.

Les invités devaient arriver à 19 heures, et le moment fatidique approchait. D'après Mahmoud, il était maintenant pratiquement exclu que Maman déboule. Il avait vérifié le programme télé, et il y avait l'émission de cuisine « Manger avec Price » sur la Une. La préférée de sa mère. Elle adorait voir des hommes s'affairer en cuisine. D'après ce que j'avais compris, elle restait dans son canapé, aux anges, et pointait régulièrement le doigt vers l'écran en criant : « HA ! »

Je me tenais sur une échelle, occupé à peaufiner les derniers détails d'une guirlande-élastique. C'est dire si j'étais envahi par l'ambiance de Noël, et je commençais même à chantonner ce que j'arrivais à imprimer des paroles du disque.

Fa la la la la la la la la…

Mahmoud tournait en rond nerveusement, en tripatouillant les décorations de table, déplaçant les serviettes et changeant les bougies.

« Je suis nerveux, Maurice, par-dessus la musique. Tu

comprends pourquoi ? Ce soir pourrait devenir un moment tout à fait spécial.

– Exactement ! C'est le troisième dimanche de l'Avent.

– Ça ne les gênera pas si je me contente de pommes de terre », assura-t-il, sans doute plus pour lui-même. Il vint se placer au bas de l'échelle et s'adressa directement à moi.

« C'est compliqué d'être musulman. On doit tout le temps faire gaffe à des tas de choses. Une fois, j'ai même envisagé de devenir athée. Mais le Prophète nous l'interdit. »

Soudain, un sifflement infernal couvrit à la fois la discussion et la musique.

« Éteins ! hurlai-je. Éteins, bon sang ! Il faut que je descende de là. »

Mahmoud se précipita à travers le salon, releva la tête de lecture et rangea le disque dans sa pochette.

« Pas la musique ! criai-je encore. Éteins l'alarme incendie ! »

Un épais nuage de fumée sortait du four. Bon sang ! J'avais été distrait par ma tâche, la musique et la nervosité de Mahmoud, et voilà que le rôti était en train de brûler.

Mahmoud regardait, affolé, autour de lui. L'alarme incendie se trouvait au plafond, au-dessus de la porte de la chambre.

« Oublie ça ! repris-je, toujours en hurlant. J'ai l'échelle, je m'occupe de l'alarme. Sors-moi ce rôti du four ! »

Je tirai l'échelle à travers le salon et la plaçai devant la porte de la chambre. Une fois atteint l'alarme, je me rendis compte que le bouton ne marchait pas. Je dus dévisser tout le boîtier pour sortir la batterie.

Le bruit cessa enfin. Délicieux – c'était très stressant. Je me retournai sur l'échelle et regardai vers Mahmoud. Il se tenait raide comme un piquet, fixant le four.

« Sors-moi ce rôti, bonhomme ! »

Il se tourna vers moi, mal à l'aise.

« C'est un rôti de porc, gémit-il. C'est du cochon ! »

Ce n'était pas une raison pour refuser de le toucher, si ?

« Il est dans un plat en aluminium ! dis-je. Le Prophète a quelque chose contre les plats en aluminium ?

– Non, mais…

– Bien ! Et Nat King Cole n'a jamais méprisé l'alu non plus, alors sors-le !

– C'est un animal impur !

– Exactement, il méritait de mourir. »

Une fois en bas de l'échelle, je pouvais tout aussi bien m'en occuper moi-même.

« Pousse-toi ! » balançai-je à cette poule mouillée de Mahmoud. Quand j'ouvris le four, il y eut évidemment un afflux de fumée encore plus important. Je secouai ma manique pour la dissiper et sortis enfin le rôti de porc.

La couenne était brûlée.

Le plus important dans un rôti de porc, c'est la couenne, et elle était brûlée ! Il ne fallait pas que la situation dégénère davantage.

« Pique les patates ! lançai-je à Mahmoud.

– Elles sont bio ? »

Qu'est-ce que c'était que cette question ? Les hommes de mon âge ne mangent pas bio. Nous avons besoin de tous les conservateurs disponibles.

Il lança un regard effrayé par-dessus mon épaule.

« Le cochon est noir sur le dessus ! constata-t-il.

– C'est ce qu'on appelle la couenne, oui, expliquai-je. Et elle est noire parce qu'elle est cramée.

– Tu peux pas l'enlever ? Comme ça on descend acheter de la couenne de porc et on la met dessus à la place.

– C'est un peu plus compliqué que ça. »

Il renifla.

« Ça sent le cochon, ici ! »

Évidemment que ça sentait le cochon – ça sentait même le cochon *carbonisé*.

Mahmoud fonça dans la salle de bains et revint avec un

spray. Il se spraya un chemin à travers la fumée du salon jusqu'à l'entrée, où il en remit une couche. Ça avait une odeur atroce ! Lourde et douceâtre. Je préférais encore le cochon brûlé !

Je le suivis dans l'entrée.

« Qu'est-ce que tu fais ?

– Je fais en sorte qu'ils ne soient pas incommodés par l'odeur dès leur arrivée », expliqua-t-il.

Je lui pris le désodorisant des mains, c'en était trop. C'était encore Toutânkhamon, en spray cette fois.

La porte d'entrée était grande ouverte, comme la veille. C'était malheureusement nécessaire. Mahmoud se sentait honteux et marmonna quelque chose au sujet d'une punition divine.

Il avait gardé cette porte ouverte plusieurs fois pour épier Lærke, en prétendant que la serrure se bloquait et qu'il la réparait.

Mais maintenant la serrure *était* bloquée !

La porte devait rester ouverte. Nous ne pourrions plus l'ouvrir si elle se fermait. J'avais appelé un serrurier qui devait venir le lundi entre 8 et 16 heures. Les artisans ne peuvent jamais dire précisément quand ils passeront. Mais ça ne pose pas de problèmes, il suffit de rester à la maison toute la journée…

Par l'escalier, nous entendîmes la porte de l'étage en dessous s'ouvrir.

« Il y a une drôle d'odeur sur le palier », se plaignit une voix masculine. Je courus me pencher par-dessus la rambarde.

« Pourquoi tu fermes pas ta porte avant que l'odeur n'envahisse ton salon ? » criai-je, et la porte fut aussitôt claquée. Je n'eus pas le temps de voir le type.

Mahmoud lança un regard vers l'ascenseur. Pas le moindre signe d'une approche quelconque.

« Il n'a pas tiqué sur l'adresse ? demanda-t-il.

– Qui ? Le serrurier ?

– Non, le père de Lærke. Quand tu as appelé pour les inviter. Il n'a pas trouvé bizarre que tu habites à Avedøre ? »

Bien sûr que si. Je remarquai la cravate de Mahmoud. Une catastrophe. Pendant que nous parlions, je refis le nœud et lui donnai une allure plus correcte.

L'exportateur de poisson s'était souvenu de moi. Il avait même dit qu'il avait beaucoup apprécié mon travail, à l'époque. Sans blague ? Sans moi, il aurait eu la joie de découvrir l'univers carcéral.

Évidemment, il s'était étonné que le directeur d'un cabinet de comptabilité renommé habite chez un jeune ami au septième étage à Avedøre. Il avait demandé si ce n'était pas un ghetto.

Je n'y avais jamais réfléchi. Bon, j'avais remarqué quelle population vivait majoritairement dans le quartier, mais le mot ghetto ne m'était étrangement jamais venu à l'esprit. Était-ce un ghetto ? Je n'en savais rien. A priori, le meilleur moyen de faire d'une zone résidentielle un ghetto, c'est de la considérer comme telle. C'est pourquoi j'avais dit que non, je ne trouvais pas qu'il s'agissait d'un ghetto.

« Ils doivent connaître le coin, objecta Mahmoud. C'est aussi l'adresse de leur fille, en dehors de l'étage. »

Neumann n'avait en réalité rien dit à ce sujet, mais j'étais déjà bien occupé par l'autre souci. Pourquoi est-ce que j'habitais ici ?

J'avais rapidement réfléchi à quelques explications intelligentes et compliquées, mais par téléphone, c'était difficile. C'est pourquoi j'avais fini par dire la vérité.

Et ça avait été une bonne idée ! Un angle d'attaque humain, ça marche presque toujours, et M. Neumann m'avait questionné presque avec jalousie au sujet du divorce.

Il trouvait que c'était triste pour moi, et était impressionné que j'arrive à faire tourner mon affaire d'ici. Et ce n'était que temporaire. Sa sympathie était intarissable. De cette façon, je pouvais aussi expliquer la présence de Mahmoud. Pour éviter qu'ils aient la même pensée que Maman au tout début.

« Ils ne doivent surtout pas croire ça ! éructa mon jeune assistant terrifié. Sinon ils ne seront jamais d'accord pour Lærke et moi ! »

Il lança de nouveau un regard vers l'ascenseur. Comme si ça pouvait aider.

« Tu crois qu'ils vont bientôt arriver ? » demanda-t-il.

Je regardai ma montre.

« Il n'est pas encore 19 h. Les Jutlandais du Nord sont toujours pile à l'heure quand il s'agit de manger. »

Je le ramenai au salon, et nous nous assîmes à la table.

Il avait voulu faire un plan de table, mais je le lui avais déconseillé, étant donné que nous n'étions que quatre.

Mahmoud observa l'appartement, vérifiant tout une dernière fois.

« Tu crois qu'ils vont trouver ça joli ? » voulut-il savoir. Je n'en doutais pas.

« Ils n'ont jamais vu un endroit comme celui-ci, dis-je, j'en suis certain.

– Je pourrais leur montrer le broyeur à ordures ! proposat-il. Peu de gens en ont un comme ça. »

C'était tout à fait vrai. C'était plutôt rare. L'oncle de Mahmoud avait, quelques années auparavant, ramené un lot de broyeurs à ordures à monter soi-même, sur l'évier. Il était persuadé que ça deviendrait très tendance.

Mais ce ne fut pas le cas, et toute la famille se retrouva avec un broyeur à ordures fixé sur tous les lavabos et éviers. Apparemment, personne ne s'en servait jamais.

J'indiquai que je ne voyais aucune raison valable de montrer le broyeur.

« Mais est-ce que tu t'es seulement posé la question de savoir ce qui se passerait, finis-je par demander, s'ils croisaient leur fille dans l'escalier ? »

Je n'avais pas l'intention d'aggraver sa nervosité, mais il valait mieux prévoir ce qu'on ferait, le cas échéant.

Mais Mahmoud resta parfaitement calme.

« Elle est en voyage, dit-il. Je l'ai vue hier, elle avait une petite valise à roulettes. »

Une *petite* valise à roulettes ? Elle serait au maximum absente deux ou trois jours. Mais ça suffisait.

« Maintenant, il faut espérer que ta Cathrine ne va pas appeler en plein milieu de tout ça ! dit-il, et ce fut mon tour de le rassurer.

– Elle peut appeler autant qu'elle veut, j'ai oublié mon téléphone dans la voiture », répondis-je en riant.

Je tapai dans sa main ouverte. Je crois qu'on appelle ça un *high five*. Je me sentais presque moderne, pendant que Mahmoud se dévissait nerveusement la tête dans tous les sens, s'inquiétant à propos de tout ce qui pouvait bien exister entre ciel et terre.

« Maurice ! dit-il encore. Je suis nerveux ! Et s'ils m'aiment bien, mais qu'elle ne veut pas de moi ? »

Je haussai les épaules.

« Suffira d'envisager un mariage forcé, non ? »

J'eus droit à un regard peiné. Comment pouvais-je me permettre !

« Quand tu veux être drôle, Maurice, en fait, tu es juste grossier.

– Exactement ! C'est ça qui est drôle, d'ailleurs. »

Comment est-ce que je pouvais lui apprendre ? Dans l'humour, l'important n'est pas tellement ce qu'on dit. C'est surtout à qui on le dit. Et dans quelles circonstances.

Au fond, l'humour est grandement soumis à la *bienveillance* de l'auditoire. Si l'ambiance s'y prête, et qu'un type qu'on sait à la fois drôle et inoffensif lance une blague, tout le monde rit, et l'ambiance monte d'un cran. Mais placez un autre homme avec un statut plus incertain dans une assemblée un peu trop précieuse, où tout le monde se guette, et laissez-le faire *exactement* la même blague. Tout le monde va le regarder, le silence va devenir encore plus pesant, et le pauvre homme n'aura plus qu'à filer chez lui se cacher sous son tapis.

« C'est vraiment compliqué, marmonna Mahmoud, si la même blague peut causer deux effets aussi différents. »

Son stress prit de nouveau le dessus.

« Et s'ils disent quelque chose de drôle ? J'ai vraiment du mal avec ça. Je ne sais pas toujours quand c'est drôle ou pas. »

Je n'osais pas lui dire que la situation présente était encore plus compliquée que ça. M. et Mme Neumann venaient de Vendsyssel, tout au nord du Jutland, où la tradition veut que l'on fasse semblant de rien quand on fait de l'humour. Il peut donc être difficile de faire la différence entre un propos sérieux et une tentative d'humour, et ils s'offusquent vite si l'on rit par sécurité. Je sais, c'est un peu confus. À la place, je lui proposai d'essayer lui-même.

« Pourquoi pas ? dis-je avec optimisme. Tu as l'esprit vif, tu peux être drôle !

– Oui, mais je ne sais pas *quand* je suis drôle. Je ne voudrais pas me retrouver coincé !

– Ce n'est pas si difficile que ça. Sois attentif à l'ambiance, quand c'est détendu, et quand tout le monde est joyeux, c'est à toi de jouer ! Essaye ! C'est presque un examen d'entrée en société. »

Et là, on sonna à la porte.

Nous n'avions pas entendu l'ascenseur, et Mahmoud eut un tel choc qu'il bondit et arracha l'une des guirlandes, qui se rabattit en claquant dans le placard.

« Non, espèce d'idiot ! Je croyais qu'elle regardait son émission de cuisine ? » sifflai-je, en regardant l'heure.

Il était 19 heures.

« Un instant, hurlai-je vers l'entrée, attendez un instant, il faut que je… attendez juste… Un instant ! »

Je me retournai vers mon collègue en pleine crise de panique.

« C'est eux ! Remets-moi cette guirlande en place, je les retiens dans l'entrée encore un peu.

– N'oublie pas de me couvrir d'éloges, chuchota-t-il, je ne

peux pas le faire moi-même. Dis que je suis doué, ou quelque chose dans le genre !

– J'arrive ! criai-je encore en direction de la porte, pendant que Mahmoud tirait sur ma manche.

– Tu sais ce que veut dire mon prénom, pas vrai ? Mahmoud ? Ça veut dire *celui qui mérite les éloges.* »

Je le saisis fermement par les épaules et le regardai droit dans les yeux.

« Maintenant, tu te ressaisis et tu fixes cette guirlande, chuchotai-je. Et, Mahmoud, essaye de dire quelque chose de drôle ! »

Je le lâchai et courus vers l'entrée tout en boutonnant ma veste.

Là se tenaient M. et Mme Neumann, qui observaient l'entrée d'un air bienveillant mais un peu désorienté.

« Bonjour, Neumann, dis-je. Ça fait longtemps, hein ? »

Mais je tendis bien entendu d'abord la main vers son épouse.

« Maurice Johansen ! me présentai-je poliment.

– Je me souviens de vous, répondit-elle aimablement. Sonja Neumann. »

Elle portait une jupe plissée qui faisait tout le tour.

Et ce n'était pas peu dire.

« Je suis curieux de savoir ce que tu as dans la manche, Maurice », dit Neumann avec un rire, en me tapotant les côtes de son poing fermé.

Je hochai la tête et ris, mais mon attention était principalement tournée vers le salon.

« Ma présence est presque de trop, gloussa Mme Neumann. Si ça concerne les affaires. »

Je répondis que si je les avais invités un dimanche soir, c'était bien entendu pour les recevoir tous les deux. Pendant ce temps, j'accrochai son manteau sur un cintre, prenant mon temps et surveillant le salon.

J'empêchai in extremis M. Neumann de fermer la porte.

« Non, ne ferme pas ! On doit laisser la porte ouverte, la serrure est cassée. »

Il lâcha la poignée.

« Ah, tu oses la laisser ouverte, dit-il joyeusement. C'est pourtant une sacrée agglomération, hein ? Heureusement que ce n'est que temporaire.

– Tu n'es jamais venu ici avant ? » demandai-je. Il devait bien avoir rendu visite à sa fille. C'était justement ça qui risquait de poser problème.

« Non, rit-il. Qu'est-ce que je viendrais faire ici ? »

Mme Neumann avait l'oreille pour les possibles fausses notes et s'empressa d'arrondir les angles, au cas où.

« Enfin, Asger, dit-elle, c'est très gentil de la part du jeune assistant de laisser monsieur Johansen habiter ici en attendant. »

Je louchai vers le salon. La voie devait maintenant être libre.

« Je vous en prie, entrez, dis-je en laissant passer Mme Neumann.

– C'est si joliment décoré pour Noël, s'exclama-t-elle, ravie. Quelles jolies serviettes ! Vous les avez pliées vous-même ? »

Son mari entra derrière elle, nota également la décoration de table, tout en fouillant dans la poche de sa veste à la recherche de quelque chose.

Ils n'avaient pas encore vu Mahmoud.

Il se tenait juste derrière la porte, le dos collé au mur, les yeux écarquillés.

Lui, il ne les avait pas ratés.

Surtout M. Neumann.

Plus exactement, il fixait ce que M. Neumann avait sorti de sa poche et placé sur sa tête.

Une *kippa* !

Une calotte *juive*.

Chapitre 8

D'un repas de Noël dano-judéo-musulman.

Quand on voit une kippa juive, on peut être à peu près certain de trouver un juif en dessous.

Mahmoud et moi échangions des regards affolés. Nous avions en visite un couple juif.

Les musulmans ne mangent pas de rôti de porc, bon. Mais les juifs non plus, en fait. Le dîner était un désastre avant même d'avoir commencé. Nous étions aussi désespérés l'un que l'autre.

« Non, Asger ! dit Mme Neumann en posant une main sur le paquet de cigarettes que son époux venait de sortir de sa poche. Nous sommes de sortie !

– Mais on est dedans ! » protesta-t-il, en rangeant tout de même son tabac.

Mahmoud plongea en un éclair derrière le canapé. En dehors de ça, son cerveau semblait totalement hors-service. Il avait calé à l'instant où la kippa avait fait son entrée en scène. En ce qui me concerne, je réfléchissais à m'en faire péter les méninges. Peu importait maintenant que la couenne ait cramé. Il aurait même mieux valu que tout le rôti ait brûlé, qu'il n'en reste rien.

Ce n'était malheureusement pas le cas. Le rôti de porc trônait sur une grille dans le coin cuisine, et ce n'était qu'une question de secondes avant qu'un des Neumann ne le remarque. Ou ne remarque l'odeur.

L'odeur !

« Noooooon ! éructai-je, et ils se tournèrent vers moi, surpris. Dépêchez-vous de retourner dans l'entrée !

– Pourquoi ça ? demanda M. Neumann. On y était il y a un instant.

– Dépêchez-vous ! C'est quand même incroyable ! continuai-je en les poussant vers la porte.

– Qu'est-ce qui est incroyable ? » demanda Mme Neumann. Mais elle se laissa pourtant emmener.

Sur le pas de la porte, je me retournai et vis Mahmoud qui me fixait depuis sa cachette derrière le canapé. Je pointais, paniqué, le rôti du doigt, et il acquiesça.

« Qu'est-ce qui ne va pas ? demanda M. Neumann.

– Vous ne sentez pas ? répondis-je avec un regard interrogateur.

– Ah, l'odeur ! »

Il hocha la tête. Ils l'avaient bien remarquée en arrivant, mais avaient supposé que c'était lié au voisinage et trouvé incorrect de le mentionner. Ils reniflaient maintenant dans la petite entrée.

« Il y a de la mélasse qui brûle ? tenta de deviner Mme Neumann. Ou de l'insecticide ?

– Je crois que ça vient de l'escalier, proposai-je. Ça doit être parce qu'on ne peut pas fermer la porte.

– Mais non, ça vient du salon », répondit M. Neumann, et ils y retournèrent tous les deux.

Je m'empressai de vérifier la cuisine. Le rôti y était toujours. Mais au moins, un torchon avait été placé dessus. Pourquoi cet idiot ne l'avait-il pas mis dans un placard ? Il avait replongé derrière le canapé. Comment avait-il l'intention de gérer ça ?

« Aaaaah, éructai-je en posant une main sur mon front. Je sais ce que c'est. L'usine d'Avedøre ! Et le vent vient de l'est. Pfiou ! Je vais fermer la porte du balcon.

– Elle est déjà fermée », signala Mme Neumann, surprise.

Bon sang. J'en aurais profité pour sortir d'une façon ou d'une autre le rôti sur le balcon.

« Je vais la fermer encore une fois, tentai-je. L'odeur est tenace ! »

C'était nul.

« Oh ! »

Mme Neumann eut un petit sursaut quand Mahmoud surgit de derrière le canapé.

« Ah oui, lançai-je en m'avançant, je vous présente mon ami, Mahmoud Abusaada.

– Pourquoi étiez-vous couché derrière le canapé ? demanda-t-elle, pas encore remise de la surprise.

– Bonsoir », répondit Mahmoud. Il était maintenant étrangement calme et maîtrisé. « J'avais fait tomber mon iPhone, il avait glissé sous le canapé. »

Il exhiba son téléphone.

« Heureusement qu'on vient de faire le ménage, sinon j'aurais été couvert de moutons. »

Il loucha vers moi, interrogateur : Est-ce que c'était drôle, ça ? Ça ne l'était pas, mais ça ne faisait pas de mal non plus.

« C'est donc l'appartement de Mahmoud, dis-je pour continuer les présentations. Il est musulman. Mais très drôle quand même ! »

Mahmoud me lança un regard irrité, puis contourna les invités avant de leur tendre la main. Un déplacement un peu étrange, mais les invités le suivirent pour saluer. Mahmoud me regarda encore avec irritation.

Je compris enfin : il n'était pas vexé, il essayait de m'envoyer un signal ! Il détournait l'attention des invités pour que je puisse écarter le rôti.

« Bienvenue, dit-il. Oui, je ne sais pas pourquoi Maurice se sent obligé de dire que je suis musulman, je suis né à Amager.

– Bonsoir, répondit Mme Neumann, rassurée. C'est donc vous, monsieur... qui êtes notre hôte, si j'ai bien compris.

– Dites juste Mahmoud, c'est plus simple, répliqua-t-il avec un sourire.

– Vraiment ? » Elle n'avait pas l'air convaincu.

Pendant ce temps, j'eus l'opportunité de me glisser discrètement sur le balcon avec le rôti. Nos deux invités s'étaient sans doute dit que j'avais tout de même ouvert et refermé la porte, pour l'odeur. En tout cas, ils ne remarquèrent pas la chose. Dehors, il y avait une petite table de camping, où le rôti serait parfaitement placé, hors de vue. Je retournai discrètement dans le salon, tirai les rideaux et restai là, un peu en retrait. C'était le show de Mahmoud.

« Bonsoir ! dit également M. Neumann en tendant la main. Je m'appelle Asger. Neumann, donc. Oui, je ne sais pas non plus pourquoi Maurice fait allusion à ça. Les gens croient ce qu'ils veulent, c'est privé. »

Heureusement que j'étais revenu à temps pour acquiescer vivement à ces propos.

« Sonja et moi vivons dans la croyance judaïque, continua l'exportateur de poisson. Nous sommes juifs. Et tu es donc musulman.

– C'est inné », s'excusa presque Mahmoud. Un peu indigne, de mon point de vue.

« Il n'y a absolument aucun problème ! » Neumann était visiblement très disposé à la tolérance. « Tant qu'on évite de parler politique ! Les gens veulent tout le temps débattre d'Israël.

– Je n'ai aucune envie de débattre ! assura Mahmoud.

– Il n'y a rien à débattre, de toute façon ! assena Neumann. Et aucune raison de le faire. Nous sommes simplement différents, jeune homme. Avant tout, Sonja et moi sommes des gens ordinaires de Hirtshals.

– Des nouveaux venus, intervint sa femme.

– Foutaises, ça fait plus de vingt ans. »

Il se mit à farfouiller de nouveau dans sa poche, et son épouse était sur le point d'intervenir. Mais cette fois, ce n'était pas pour les cigarettes. C'était une carte de visite, qu'il tendit à Mahmoud, qui la reçut avec béatitude.

Il venait de recevoir quelque chose du *père* !

« Merci, je n'ai malheureusement pas de carte, dit-il avec embarras. Mais mon nom est inscrit sur la porte. »

M. Neumann hésita un instant, puis se mit à rire.

« Ah oui, il me suffit d'emmener la porte, dans ce cas. Maurice a raison, tu as de l'humour ! »

Mme Neumann rit aussi, et je me joignis à eux. Mahmoud se tourna vers moi, désorienté, et j'acquiesçai, rassurant. Il s'était montré drôle.

Le jeune homme n'en croyait pas sa bonne fortune quand il se mit à rire aussi.

L'ambiance était bonne. Et quand l'ambiance est bonne, on se fait des compliments.

« C'est… c'est une jolie calotte d'intérieur ! dit-il en pointant du doigt.

– Ah, ça… répondit Neumann en acceptant l'éloge. En fait, on appelle ça une kippa, mais mon voisin l'appelle mon couvercle. » Nous rîmes encore. Du voisin et à cause de la bonne ambiance.

Il est vrai que nous étions mal partis, mais maintenant ne restait dans l'air que la bonne entente.

« C'est une vieille tradition juive, expliqua Neumann. En fait, je ne connais pas exactement son origine. »

Mahmoud claqua des doigts et rit.

« Peut-être le symbole d'un prépuce disparu ! »

Il était sur le point d'éclater de rire encore une fois, mais se rendit compte que tout était devenu silencieux autour de lui.

Très silencieux.

Bon, on ne peut pas accentuer le mot « silencieux ». Soit c'est silencieux, soit ça ne l'est pas. Ici, c'était silencieux.

Les Neumann étaient pétrifiés. Mahmoud était conscient de la situation, et chercha désespérément de l'aide auprès de moi. Mais je levai les yeux au plafond et lâchai l'affaire. Il devait se sortir de là tout seul.

« Pardon, dit-il. C'était juste pour… Je voulais juste être drôle, mais ce n'était pas drôle. »

M. Neumann le fixait toujours. Mahmoud ne savait pas où se mettre.

« Humour danois, marmonna le pauvre garçon. Pensais pas à mal… Je croyais… L'ambiance et puis… Pardon…

– *All right*, répondit enfin l'incommodé M. Neumann. On oublie ça. »

Madame hocha la tête.

« En plus, ce sont des bêtises, ajouta son époux. Ce n'est pas vrai. »

Mme Neumann secoua la tête. Elle voulait peut-être dire que la taille ne correspondait pas.

Je sentis que c'était le moment pour moi de reprendre les rênes, profitant du fait que l'ambiance ne pouvait que s'améliorer.

« Ah, vous avez fait connaissance, lançai-je, comme si de rien n'était. Nous sommes ravis de votre présence ! »

Je posai mon bras autour des épaules de Mahmoud.

« Mahmoud est très doué ! continuai-je. Ce n'est pas pour lui lancer des fleurs, mais c'est un excellent… »

Soudain, un bruit perçant retentit. Mme Neumann poussa un cri, et son mari leva les mains en position défensive.

Non, pas ça ! Je cachai ma tête entre mes mains, vaguement tenté de me jeter derrière le canapé. Maintenant que la place était libre.

Mahmoud, affolé, porta la main à sa poche de poitrine et en sortit son iPhone, tout en expliquant fébrilement qu'il s'agissait d'une application qu'il avait téléchargée – iPray, ça s'appelait – et qu'il avait oublié de mettre le téléphone en silencieux. Il étouffa l'imam électronique et déposa l'iPhone sur la table.

Mme Neumann l'observait avec de grands yeux ronds. Elle n'avait jamais entendu parler ni d'applications ni d'iPray, et n'avait jamais entendu un tel son, que ce soit à Hirtshals ou dans la communauté juive.

S'il en était de même pour M. Neumann, il ne voulut en tout cas pas l'admettre.

« Il faut que tu pries maintenant ? demanda-t-il, curieux.

– Non, assura Mahmoud. On peut sauter une prière. J'avais simplement oublié d'enlever cette alarme, mais maintenant c'est en silencieux.

– Éteins-le plutôt complètement », lui dis-je. Il acquiesça et fit ce que je lui disais avant de reposer le téléphone sur la table.

Mme Neumann venait de saisir la situation, et proposa de se pousser si elle gênait, s'il fallait étaler des tapis ou ce genre de choses.

Un verre de bienvenue !

C'était le bon moment. Il fallait reprendre le contrôle de la situation, calmer les choses. Je les fis asseoir dans le canapé, et Mahmoud attrapa un coussin marocain. Je n'avais plus qu'à m'occuper du service.

J'avais acheté un rosé pétillant, et Mme Neumann accepta un verre avec joie. Mais comme je l'avais prévu, son époux préféra une bière. Et j'avais là un atout de côté.

« Une Thy Pilsner ! s'exclama-t-il, ravi. Tu l'as achetée spécialement pour moi ?

– On ne boit que ça ! » intervint Mahmoud, qui voulait tout faire pour recoller les morceaux. Mais c'était trop gros.

« Oui, tout spécialement », dis-je en tendant à Mahmoud son Coca.

Je pris pour ma part un verre de rosé pour accompagner Mme Neumann. Même si j'aurais préféré une Thy Pilsner aussi, plutôt que cette piquette sucrée. Je m'installai sur l'autre coussin marocain.

Et nous voilà à trinquer poliment. Je donnai un petit coup de coude à Mahmoud pour qu'il souhaite encore une fois la bienvenue. Mais voilà… Nous étions assis là.

Il y avait tant de choses qui étaient allées de travers, tant de choses dites de travers, et tant de choses qui restaient à dire. Comment faire pour lancer un bavardage normal, détendu et inoffensif ?

Ce fut Mme Neumann qui brisa la glace.

« C'est vraiment agréable avec les guirlandes ! dit-elle. Nous devrions aussi décorer un peu pour Noël à la maison, tu ne trouves pas, Asger ? »

Il eut l'air surpris. Sans doute parce qu'ils ne fêtaient pas Noël, les juifs ne font pas ça. Puis il prit sur lui.

« Moui, dit-il. On revient tout juste de notre *Hanoucca*. »

J'en déduisis qu'il s'agissait du nom du Noël juif, ce qui ne se révéla pas tout à fait exact.

« Il y a en tout cas huit jours avec des bougies, expliqua-t-il sèchement. Et hier soir, nous avons terminé pour notre part avec un bon petit repas à la maison. »

Mahmoud demanda si Hanoucca était comme un Noël danois, où toute la famille se rassemble. Ça l'était.

« Ma sœur était là, reprit Mme Neumann. Et son mari. Il est né à Hirtshals – il mange beaucoup. Je n'avais pas du tout prévu assez, et… »

Son époux l'interrompit, comme par réflexe. Peut-être qu'il savait d'expérience qu'il valait mieux l'arrêter quand elle se lançait dans la syntaxe à grande échelle. Il expliqua qu'en général, c'était seulement la famille proche, et que leur fille rentrait toujours de Copenhague pour Hanoucca.

Mahmoud et moi échangeâmes un regard. Ils chauffaient !

Le père continua en racontant que leur fille n'était restée que quelques jours. D'ailleurs, elle n'avait pris qu'une petite valise à roulettes.

Nous autres sur les coussins marocains échangeâmes encore un coup d'œil. Ils brûlaient, cette fois !

« On vient juste de la ramener chez elle », termina M. Neumann.

Nouveau regard. Ils brûlaient toujours, mais maintenant la situation devenait dangereuse. Ils venaient de la ramener ?

« Notre fille habite par ici, expliqua la mère, ravie. Nous l'avons emmenée en voiture, pour lui éviter de payer l'avion depuis Aalborg. »

Mahmoud ne put s'empêcher de poser la question directement.

« Vous venez de la ramener en voiture ? » Je le sentais prêt à se lever pour claquer la porte, quitte à nous enfermer.

Bien sûr qu'ils avaient ramené leur fille. M. Neumann ne comprenait pas ce qu'il y avait d'étrange à ça.

« Non, Asger, dit alors sa femme. On ne l'a pas ramenée tout à fait chez elle. Nous lui avons payé un taxi pour faire la fin du trajet. »

Je me sentis obligé de clarifier la situation.

« Votre fille n'est pas venue jusqu'ici avec vous ? »

M. Neumann se tourna vers moi, étonné.

« Non, elle habite à Charlottenlund, répondit-il. Ça n'avait aucun sens pour elle de venir jusqu'ici.

– Elle est kinésithérapeute, commença Mme Neumann, qui avait visiblement envie de parler de sa fille. Elle a un cabinet privé, chez elle. C'est modeste, mais il faut bien commencer quelque part. »

Elle sourit gracieusement, et attendait de toute évidence d'autres questions sur sa fille. Mais Mahmoud et moi étions paralysés. Leur fille était kinésithérapeute et habitait dans le quartier chic et aisé de Charlottenlund ?

« Kiné ! corrigea Mme Neumann, très fière. Elle dit comme ça, elle-même. Sans doute le jargon du métier. Kiné ! »

Nous nagions en pleine confusion. Dans quoi nous étions-nous fourrés ? M. Neumann trouva soudain qu'il était temps de passer aux choses sérieuses.

« Alors, Maurice, dis-moi. Je n'ai pas tout à fait compris ce que tu m'as dit au téléphone, mais ça avait l'air prometteur. »

Je ne me souvenais pas exactement de ce que j'avais inventé sur le moment. Une histoire d'exportation de poisson vers la Suisse, vu qu'ils n'ont pas des masses de côtes. Quelque chose de ce genre.

« Et si on attendait après le repas ? proposai-je. Que ça ne refroidisse pas. »

En voilà des paroles sensées ! Il se leva aussitôt en se frottant les mains.

« Qu'est-ce qu'on mange ? demanda-t-il en se dirigeant vers la cuisinière. On peut soulever un peu le couvercle ?

– Oh, vous pouvez garder votre couvercle ! » lança Mahmoud, plein de bonne volonté.

Bon sang ! Avait-il encore essayé d'être drôle ? Même pas.

Mais M. Neumann ne semblait pas avoir entendu la remarque. Il avait l'air du genre de personnes dont la concentration s'intensifie dès qu'elles s'approchent d'une cuisine.

« Qu'est-ce qu'on mange ? » répéta-t-il, aussitôt réprimandé par son épouse. Il répliqua. « On a le droit d'être curieux, Sonja. Alors ? »

C'était maintenant moi qu'il questionnait. Nom de... Que pouvais-je répondre ? Il y avait un rôti de porc posé sur une table de camping, sur le balcon, et il devait absolument y rester.

J'hésitai, et il continuait de me fixer, dans l'expectative.

« Des pommes de terre ! » s'exclama Mahmoud.

Oui, c'était bien vrai.

« Des pommes de terre ? reprit M. Neumann. Oui, c'est toujours bon. Mais il doit bien y avoir... quelque chose pour les accompagner ? »

Encore un regard optimiste, et toujours aucune idée de ce que je pouvais bien répondre.

« De la sauce ! » éructa Mahmoud, triomphant. Mais non, ce n'était vraiment pas possible. « Non, se corrigea-t-il immédiatement. Pas de sauce !

– Pas de sauce ? » M. Neumann me fixait, abasourdi. Juste des patates, pourquoi pas. Après tout, il arrive qu'on ne mange que du chou, non ? Mais cette histoire de « pas de sauce », il n'avait jamais rien entendu de tel.

Le problème était que la sauce venait du boucher de Værløse. C'était le jus dans lequel le rôti avait cuit, que j'avais ramené pour donner du goût à la sauce.

« Il n'y a pas de sauce, dis-je. Il faut qu'on commence à faire attention. » Je me tapotai le ventre et lui lançai un clin d'œil de connivence. « Je vous en prie, asseyez-vous, dis-je vivement. Il n'y a pas de plan de table. »

Je demandai à Mahmoud de mettre un peu de musique, et il se réfugia immédiatement auprès de son étagère adorée. Nat King Cole était prêt.

Il nous fallait nous concerter. D'abord, tout ceci était sur le point de partir totalement en vrille, et ensuite, ils avaient dit que leur fille habitait à Charlottenlund.

« Mahmoud et moi allons un instant dans la salle de bains, dis-je. Une canalisation a pété. »

Ce dernier s'empressa de mettre le disque et courut après moi.

Joy to the world,
the Lord is come !
Let earth receive her King ;
Let every heart prepare Him room,
And Heaven and nature sing,
And Heaven and nature sing,
And...

Nos deux invités nous fixèrent avec des yeux ronds tandis que nous nous éclipsions dans la salle de bains.

« C'est pas du tout eux, chuchota Mahmoud, une fois la porte refermée.

– Non, confirmai-je. La fille habite à Charlottenlund. »

La musique dans le salon fut arrêtée.

« Ils n'aiment pas le disque ! » dit Mahmoud, malheureux.

C'était bien possible, mais peut être qu'ils avaient simplement besoin de parler eux aussi. Nous écoutâmes en silence à la porte.

La voix de Mme Neumann se fit entendre.

« Est-ce que ce n'est pas un peu bizarre ?

– Je ne sais pas, répondit son mari. L'un d'eux vient d'Amager. »

Puis il demanda si elle n'avait pas quelques comprimés d'aspirine dans son sac.

Nous nous dépêchâmes de reprendre notre conciliabule chuchoté. Apparemment, ils n'étaient pas les parents de Lærke, mais il nous fallait être totalement sûrs que nous nous étions trompés.

Nous nous mîmes d'accord pour retourner poser deux ou trois questions, puis d'expliquer toute l'histoire comme elle était, s'excuser et éventuellement les inviter à boire une bière au bar du coin.

« Non, s'exclama Mahmoud, les gens y mâchent du qat ! »

À cet instant, le tintamarre reprit dans le salon. Une voix forte appelait d'un ton pénétrant à la prière. *Allaaaaaaah Akbar* et tout le tintouin…

« Bougre d'imbécile, sifflai-je. Tu as dit que tu l'avais éteint !

– Je l'ai fait ! répondit-il, au désespoir. Je l'ai mis en silencieux et éteint ! »

Il ouvrit brusquement la porte.

« Ce n'est pas moi ! cria-t-il aux deux invités qui n'en finissaient pas d'être choqués. Je *l'ai* éteint, et maintenant je le mets sur le balcon ! »

Il saisit au passage son iPhone et alla le poser sur la table à l'extérieur, puis claqua la porte.

Il avait raison. Le son continuait, et ne venait pas du téléphone de Mahmoud. C'était comme s'il venait d'en haut, traversant le béton sans difficulté. Oui, on aurait presque dit qu'il se rapprochait.

« Ça vient d'en haut ! criai-je. Mahmoud a raison, ce n'est pas son téléphone.

– C'est aussi un musulman qui habite au-dessus ? voulut savoir Mme Neumann.

– Ce n'est pas très délicat envers les voisins, suppléa son mari. On ne peut pas les arrêter ? »

Mahmoud était de retour.

« Non, répondit-il, essoufflé. Musulman un jour, musulman toujours. »

Évidemment qu'on pouvait l'arrêter ! De qui qu'elle soit la

fille, qu'elle soit kinésithérapeute ou pas, ça ne pouvait qu'être Lærke qui avait tripatouillé le cadeau de Mahmoud. Je me ruai sur le palier et hurlai si fort que ça résonna dans toute la montée.

« ARRÊTE-MOI CE FOUTU RÉVEIL ! STOP ! »

Ce ne fut pas sans effet. Un silence total s'ensuivit, et je retournai sur mes pas.

J'étais sur le point de claquer la porte d'entrée, mais j'eus tout juste le temps de me retenir et fermai à la place la porte du salon.

M. et Mme Neumann étaient assis à la table et me fixaient. Bouche bée. C'est comme ça qu'on dit ? Je crois bien que c'était ça. Ils étaient bouche bée. Mahmoud se tenait à la porte de la salle de bains. Il affichait un teint cadavérique.

C'était trop. Ce n'était plus la peine de poser la moindre question, et c'était à moi d'essayer de réparer le ratage.

Je fis un pas en avant.

« Chers monsieur et madame Neumann, commençai-je, et leur regard se fit intéressé. Laissez-moi dire les choses comme elles sont. Nous sommes tous les deux responsables d'un malentendu…

– C'est surtout moi, en fait », intervint Mahmoud. Il ne voulait pas me laisser seul. Mais il ne fallait pas qu'il aggrave la situation.

« C'est nous deux, repris-je. Nous *sommes* un malentendu. Enfin… Voyez-vous, nous pensions que votre fille… »

M. Neumann m'interrompit. Le fil de ses pensées s'était rompu au dernier choc.

« On peut vraiment acheter des réveils qui font *ça* ? demanda-t-il, incrédule.

– Effectivement ! lança Mme Neumann, ravie de détenir une telle information. Lærke a raconté que son voisin à Charlottenlund était musulman lui aussi…

– Lærke ? » Mahmoud s'était brusquement redressé. « Votre fille s'appelle Lærke ? »

Mme Neumann hocha fièrement la tête.

« Oui, Lærke Neumann. Et son voisin a justement un réveil comme celui-là. Elle nous l'a raconté quand elle était à la maison. »

M. Neumann ne put s'empêcher de rire.

« Il semblerait même qu'il lui en ait offert un », dit-il en secouant la tête.

Cette histoire tournait à la folie pure ! Mais Mahmoud continuait de questionner. Il voulait savoir si c'était un beau cabinet de kinésithérapie que la fille avait à Charlottenlund, et c'était le cas. Très prometteur !

« En tout cas, c'est très cher ! intervint son mari, amer. 100 000 couronnes en dépôt de garantie pour le loyer !

– On l'aide un peu à se lancer, rit nerveusement Mme Neumann, tentant par la même occasion de signaler qu'il était inutile d'approfondir la question.

– Nous n'avons pas encore vu ce cabinet, se plaignit son époux. Ça ne va jamais à mademoiselle.

– Asger ! Lærke est très occupée ! Elle se démène, elle a beaucoup de clients. »

Mais M. Neumann était lancé. C'était apparemment un sujet sensible.

« On lui a fait des virements monstrueux ! Évidemment, c'est un investissement, Charlottenlund... Et elle est à son compte ! Sinon, j'aurais refusé tout net. »

Je savais maintenant comment remettre les choses sur les rails.

« Alors, vous allez sûrement rendre visite à votre fille à Charlottenlund demain ? demandai-je, intéressé, et Mahmoud attendait la réponse sans oser respirer.

– Oui ! répondit Mme Neumann, toujours plus fière. Enfin, on aurait dû. Mais elle a eu tout un tas de rendez-vous imprévus – grand succès ! Ce sera pour une prochaine fois. »

À cet instant, on sonna à la porte.

Chapitre 9

Où, une fois n'est pas coutume, ce n'est pas la joie quand la famille se réunit.

À vrai dire, c'est exactement à cet instant que Mahmoud et moi aurions dû fuir dans la salle de bains, le temps de commettre un suicide collectif.

Concernant la personne qui attendait à la porte, il y avait deux possibilités : Maman ou l'imam.

La situation et le repas ne pourraient pas supporter la présence de l'imam. Une pénurie alimentaire nous serait fatale.

Mahmoud n'avait qu'une chose en tête : Maman ! Il bondit et libéra les guirlandes élastiques, qui sifflèrent à travers la pièce et se logèrent sèchement dans les placards.

Mme Neumann sursauta violemment quand Mahmoud claqua les portes des placards. Et M. Neumann faillit s'en rendre compte.

« Pardon ! dis-je. Juste une seconde ! »

Je me précipitai dans l'entrée en refermant la porte derrière moi.

C'était Lærke.

« Salut. Il est fâché ? demanda-t-elle. Pour le réveil ? Parce qu'il a dit lui-même que je n'avais qu'à lui rendre la pareille un jour ou l'autre.

– Lærke ! chuchotai-je. Ça tombe plutôt mal ce soir, on a des invités ! »

Elle mit la main devant la bouche, gênée.

« J'étais pas au courant, répondit-elle à voix basse. Je vais rentrer vite fait pour m'excuser. »

Avant que je n'aie eu le temps de l'arrêter, elle était passée devant moi et avait ouvert la porte donnant sur le salon.

Sacré tableau.

Chaque personne présente s'était figée, le tout composant une scène surprenante.

Lærke se tenait sur le pas de la porte, la bouche ouverte, et on voyait sur le visage de M. et Mme Neumann de qui elle avait hérité ça.

Qu'est-ce que ses parents pouvaient bien faire là ? Et qu'est-ce que leur fille faisait là, elle ? M. Neumann savait de source sûre, à savoir lui-même, qu'elle venait de dépenser une petite fortune en taxi pour Charlottenlund.

« Qu'est-ce que tu fais là ? » demanda le père, ébahi.

Lærke resta silencieuse, un long moment. Mahmoud sortit la tête de derrière le canapé, et je cherchai dans sa direction quelque chose qui pourrait ressembler vaguement à de la raison.

« On m'a appelée, dit-elle enfin. Kiné ! On m'a passé un coup de fil. Un truc aigu ! »

Aigu ? Les parents se regardèrent, puis se retournèrent vers leur fille, dont les yeux vacillèrent, pour une fois.

« Oui, marmonna-t-elle. C'est un nouveau service que je propose... *Kiné to Go.*

– *Kiné to* quoi ? » Il s'agissait visiblement d'un concept qui n'était pas encore parvenu jusqu'à Hirtshals.

« *Go* ! fit Mahmoud en surgissant de derrière le canapé. *Kiné to Go.* C'est vrai ! »

Il s'avança vers la petite famille. Je ne pus m'empêcher de le suivre.

Je ne savais pas quelle mouche l'avait piqué. Il avait sans doute lu trop d'histoires de preux chevaliers secourant une jouvencelle sur son destrier blanc. Et il avait supposé que les règles s'appliquant à un chevalier sur un destrier blanc s'appliquaient aussi bien à un employé de bureau derrière un canapé.

Mahmoud expliqua aux parents sciés que c'était sans doute le locataire de l'appartement du dessus qui avait appelé à l'aide.

« Il est imam. C'est lui que vous avez entendu il y a quelques minutes. Il appelait à la prière. »

Pas mal, dans la précipitation, admis-je silencieusement. Je reçus un coup de coude dans les côtes, et comme par réflexe, je m'entendis confirmer le bobard.

« Oui, dis-je. C'est l'imam de Brønshøj. Il habite juste au-dessus. »

Pourquoi dire ça, aussi ? Loyauté automatique, je suppose. J'étais maintenant impliqué.

Lærke nous observait, sans comprendre pourquoi nous étions en train de dire ce que nous étions en train de dire. Mais un coup de pouce est un coup de pouce, et elle n'était pas en situation de refuser une main tendue. Elle sauta donc sur l'occasion.

Cet imam s'était coincé quelque chose au niveau du dos, expliqua-t-elle, et Mahmoud confirma que ce devait être à cause de toutes ces prières. Il en savait quelque chose.

« Quand on a les reins fragiles, cinq prières par jour, ça fatigue, et... »

M. Neumann l'interrompit. Il voulait savoir pourquoi l'imam de Brønshøj habitait ici à Avedøre, vu la distance entre les deux communes.

Nous autres conspirateurs échangeâmes des regards perdus.

« Il y a un bus direct vers Brønshøj ! » tentai-je.

Mahmoud s'illumina.

« Écoutez ! dit-il en pointant le doigt vers le plafond. On l'entend boitiller ! Écoutez ! »

C'était bien vrai. On entendait distinctement un bruit de pas et de chaise qu'on traîne sur le sol. Et ça venait d'en haut.

Mais comment était-ce possible, considérant que Lærke était là avec nous ? Elle était la seule à habiter au-dessus, il n'y avait qu'un appartement par étage.

Le bruit étayait certes l'histoire que nous venions d'inventer et rassurait jusqu'à un certain point les parents de Lærke, mais il soulevait également quelques questions sur lesquelles Mahmoud et moi apprécierions d'avoir une explication.

Mais Lærke n'avait pas l'air de comprendre mieux que nous, et elle finit par hausser les épaules, résignée. Elle n'en savait de toute évidence pas plus.

Pouvait-on accuser le béton ? Le béton pouvait-il faire résonner les sons jusqu'à rendre difficile la localisation de leur origine ? Pouvait-il en fait venir d'en bas ? Je ne suis ni expert en béton ni en acoustique, mais c'était l'explication la plus plausible. Dans tous les cas, il s'agissait maintenant de tenir fermement ce fragile tissu de foutaises.

Mme Neumann était désorientée. Puisque sa fille avait tant de clients qu'elle n'avait pas le temps de recevoir ses parents, comment pouvait-elle faire des consultations à domicile ? Et la longue liste d'attente, alors ?

M. Neumann l'envoya promener d'un geste. Il était maintenant plus que soupçonneux et ne cessait de creuser.

« Si l'imam qui a mal au dos habite au-dessus, demanda-t-il, inquisiteur, pourquoi est-ce que tu sonnes ici ? »

Une question pertinente. Tout ceci commençait à sentir le roussi, et on approchait du point critique où l'un d'entre nous devrait tout balancer.

« Parce que, commença Lærke, j'étais obligée, parce que... »

Mahmoud ne pouvait abandonner sa promise. Cela n'arriverait jamais, je m'en rendais compte, même s'il fallait largement dépasser la limite de toute logique.

« Parce qu'on vient de commencer une collaboration, lança-t-il d'un ton ferme, avant de passer à celui d'une conversation banale. C'est drôle, on ne se doutait pas un seul instant que votre fille...

– Une collaboration ? » Le scepticisme de M. Neumann n'avait pas diminué. Son épouse tenta de signaler qu'elle trouvait ça intéressant, mais elle fut de nouveau rabrouée d'un geste.

« Quel genre de collaboration ? » voulut-il savoir. J'étais moi aussi assez curieux, et me tournai donc vers Mahmoud.

« Une fusion, expliqua-t-il, tout sourire. Entre nos deux entreprises. C'est un concept tout nouveau : kinésithérapie et comptabilité. On vend ça en pack. »

Il me colla derechef son coude dans les côtes.

« Oui, m'empressai-je. KinéCompta ! »

Saleté de loyauté automatique.

Mahmoud reprit son explication et raconta à l'exportateur de poisson éberlué que le produit suscitait un vif intérêt, parce que les soucis financiers causent souvent des douleurs aux reins. Et je m'entendis moi-même confirmer que les chiffres négatifs donnaient quasi systématiquement des tensions nerveuses dans le dos.

Mais M. Neumann tenait bon et voulait savoir ce que l'imam de Brønshøj venait faire là-dedans.

Je faillis signaler à haute voix que je n'en avais pas la moindre foutue idée, mais Mahmoud avait apparemment pressenti que j'étais sur le point de craquer. Il intervint à la vitesse de l'éclair en expliquant que l'imam avait des relations, et pouvait nous permettre de nous lancer sur le marché international. Le potentiel du concept était énorme au Moyen-Orient.

« En kinésithérapie et comptabilité ? » M. Neumann avait beaucoup, beaucoup de mal à croire ce qu'il entendait. Avec raison, je dois l'admettre.

Mais Mahmoud respirait l'optimisme. Les probabilités de réussite au Moyen-Orient étaient très importantes, justement parce que le concept était totalement inconnu là-bas. Il affirmait que rien ne pouvait aller de travers, et ça, la mère de Lærke était ravie de l'entendre.

Mahmoud rayonnait d'une force de persuasion saisissante qui ne pouvait que faire effet, tant qu'on n'écoutait pas ce qu'il disait.

Lærke elle-même avait laissé tomber, et s'était effondrée

dans le canapé, abattue. Elle n'arrivait plus à suivre. Qui l'aurait pu ?

Mme Neumann s'installa à côté de sa fille et posa un bras autour de ses épaules. Elle sentait que Lærke n'était pas à l'aise.

« Mais enfin, Lærke chérie, demanda-t-elle, qu'est-ce que tu vas faire de Charlottenlund alors ? »

La jeune fille leva des yeux rougis vers sa mère. « C'est là que nous avons nos gros clients, commença-t-elle. Les ambassades... ces attachés-cases qui tordent le dos... les douleurs aux vertèbres... Non, sérieux, quelle connerie ! »

Elle se leva résolument du canapé. Elle n'avait plus envie de se laisser tourner en ridicule.

« Désolée ! Oubliez ça, on arrête, déclara-t-elle. Ça ne sert à rien.

– Si ! répondit Mahmoud, refusant qu'elle abandonne. Si, ça sert à quelque chose. S'ils font leurs exercices. Et la fusion avance à grands pas, on sera bientôt prêts à entrer en Bourse ! »

Je posai ma main sur son épaule. Il fallait mettre fin aux festivités avant que ça aille trop loin.

Qu'est-ce que je viens d'écrire ? *Avant que ça aille trop loin* ? Est-ce qu'on pouvait vraiment aller plus loin encore ?

« Je n'arrive plus à réfléchir, annonça M. Neumann, agacé. J'ai la migraine, et j'ai besoin d'une cigarette. »

Il commença à farfouiller dans sa poche et leva la main vers son épouse avant qu'elle ait eu le temps de dire quoi que ce soit.

« Ne t'en fais pas, je vais aller fumer sur le balcon. »

Il sortit son paquet et se dirigea vers la porte, secouant la tête.

Le balcon !

Non, bon sang ! Mahmoud et moi ouvrîmes grand les yeux : le rôti de porc se trouvait sur le balcon !

« Un instant ! criai-je. Attends ! Stop ! »

Je fonçai me mettre devant la porte.

« Laisse-moi juste préparer le balcon, dis-je avec un grand sourire. Je crois que Mahmoud a des allumettes, il peut allumer ta cigarette pendant ce temps. »

Il pouvait, en effet ! Mon assistant fila chercher une boîte d'allumettes et prit amplement son temps pour en craquer une pour M. Neumann, de plus en plus étourdi. Entretemps, j'allai sur le balcon, fermai la porte derrière moi, et balançai le rôti par-dessus bord sans autre forme de procès. Plus de rôti !

Sur le chemin du retour, j'eus tout juste le temps de me dire qu'un rôti de porc lancé du septième étage pouvait tomber sur quelqu'un et éventuellement causer la mort de la personne en question. Je rejetai l'idée. J'avais pour l'heure de gros problèmes, sans me préoccuper en plus de savoir si j'avais assassiné quelqu'un ou non.

« C'est prêt ! annonçai-je en rentrant dans le salon, gardant poliment la porte ouverte. Il y avait quelques feuilles qui traînaient. »

J'aurais pu me gifler. Des feuilles ! Au septième étage ?

M. Neumann ne dit rien. Il disparut sur le balcon avec son front plissé et sa cigarette allumée, et claqua la porte après lui.

Il aurait pu faire un peu plus attention. Le bâtiment n'était pas tout neuf et pas spécialement construit pour durer.

Lui hors du tableau, nous étions quatre à nous tenir là et à nous fixer les uns les autres. Lærke sourit à Mahmoud – gentiment. Il me semble que c'était la première fois.

« C'est gentil de ta part, Mahmoud, dit-elle. Je sais pas pourquoi tu le fais, mais ça ne marchera pas. Laisse tomber ! Ça ne sert à rien.

– Bien sûr que si, Lærke ! intervint Mme Neumann. N'abandonne pas ! Si c'est vraiment une bonne idée et qu'ils n'ont pas ça au Moyen-Orient… Et si en plus vous pouvez vous lancer en Bourse…

– Maman chérie… » commença Lærke. Elle n'eut pas l'occasion d'aller plus loin. Un courant d'air froid traversa le salon quand M. Neumann ouvrit à toute volée la porte du balcon et revint. Il avait laissé la cigarette dehors, et était maintenant de toute évidence fou furieux.

« Je crois que je n'ai pas besoin de réfléchir beaucoup plus ! » éructa-t-il en claquant la porte si fort que la poignée cassa. Elle ne tomba pas, ne se démonta pas, elle cassa net.

« Tu as cassé la porte du jeune homme ! » s'écria son épouse, affolée. Mais il se contenta de jeter le débris inutile sur le sol.

« Dites-moi, est-ce qu'il y a écrit idiot sur mon front ? siffla-t-il en nous observant à tour de rôle avec ses yeux plissés.

– Hallooo ! fit une voix masculine dans l'entrée – ce ne pouvait être que l'imam.

– Il ne faut pas fermer la porte ! » hurla Mahmoud.

Trop tard. La porte d'entrée venait d'être claquée.

D'abord la porte du balcon, puis celle de l'entrée. *Sérieusement ?*

« Hallo ? Mahmoud ? Il y a quelqu'un ?

– C'est un client ? » eut le temps de demander Mme Neumann à sa fille avant que l'imam ne fasse irruption.

Celui-ci était visiblement bouleversé et à bout de souffle.

« Je sais pas ce qu'il arrive, haleta l'imam. Je viens juste dans la rue sur le chemin où il y a les carreaux, et… et tout d'un coup du ciel il y a en volant un objet qui tombe dans le bassin de l'eau… Mahmoud, peut-être on a mal compris le Coran… C'est le miracle ! »

Il tenait presque avec vénération dans ses mains un rôti de porc.

Chapitre 10

Une personne n'est pas une île. Six personnes non plus.

Mahmoud n'avait pas la télé. Il n'en avait jamais eu. Pas parce qu'il était radin et voulait économiser, mais simplement parce qu'il ne savait pas à quoi ça aurait pu lui servir. Il avait ses vinyles. Il était comme ça.

Nous en aurions pourtant bien eu besoin pour tuer le temps, alors que nous attendions un moyen de contacter le monde extérieur. Les deux portes étaient irrémédiablement bloquées, nous avions tout essayé. Le téléphone de Mahmoud était sur le balcon, le mien dans la voiture, celui de Lærke était chez elle, ses parents n'avaient même pas amené le leur. L'imam ne se servait pas de ce genre de choses.

Évidemment, nous aurions pu balancer une chaise à travers la fenêtre, puis tenter d'appeler à l'aide depuis le balcon. Mais nous n'en étions pas encore là, et de plus, c'était du double-vitrage à l'argon. Les éclats pouvaient être dangereux.

Nous avions coincé une allumette dans l'ouverture de la boîte aux lettres de la porte d'entrée, pour avoir une chance d'entendre si quelqu'un passait dans l'escalier.

Les chances étaient faibles, puisque les appartements de Lærke et Mahmoud étaient les deux derniers de la montée. Mais si le locataire d'en dessous rentrait chez lui, nous pouvions essayer d'appeler à l'aide avant qu'il n'ait refermé sa porte.

En vérité, il y avait bien eu un moment où une femme était passée dans l'escalier. Juste devant la porte, en plus.

Lærke nous avait tous poussés et s'était agenouillée devant la fente dans la porte pour parlementer avec cette femme. Au début, j'étais plutôt satisfait de voir la jeune femme prendre la situation en main. Elle est très débrouillarde. Mais tout alla de travers.

Il s'agissait simplement de convaincre l'inconnue de trouver le concierge pour qu'il ouvre la porte. Mais la dame avait eu beaucoup de mal à comprendre la situation, et Lærke s'était énervée. Elle a du tempérament, et il lui arrive d'employer un langage très cru, et certaines personnes peuvent s'en formaliser. À la fin, Lærke hurla à travers le battant que la femme était totalement fada. Son interlocutrice avait immédiatement repris l'escalier en sens inverse.

Nous attendions et espérions, mais en vain. Le concierge ne venait pas. Personne d'autre non plus, d'ailleurs.

Notre patience commençait à voir ses limites, et nous nous sentions isolés, oubliés.

Mais ce n'était pas tout à fait exact. Car si le monde extérieur ne savait pas ce qui se passait dans l'appartement, nous autres ne savions pas plus ce qui se passait dans le monde extérieur.

Nous ne l'avons su qu'après. Mais pendant que nous attendions je ne sais quoi, la situation dans les médias ressemblait à ça :

Dimanche 17 décembre, 21 h 10.

Sur l'écran, on voit un barrage de police jaune, un journaliste se tenant prêt avec un micro et le regard vide. En arrière-plan, on voit quelques lampadaires fatigués, et on devine le contour d'un grand immeuble.

En bas de l'image défilent les mots BREAKING NEWS.

Le journaliste reçoit un message dans son oreillette, et son regard s'éveille.

LE JOURNALISTE :
Nous sommes en direct d'Avedøre, où la dramatique prise

d'otages entre dans une phase décisive. Pour rappel, voici un résumé de la situation : un couple juif et leur fille adulte ainsi qu'un comptable danois sont retenus en otage dans un appartement du septième étage. L'appartement est habité par le dénommé Mahmoud Abusaada, 32 ans.

Une mauvaise photo de Mahmoud apparaît, je me demande bien d'où elle sort.

Abusaada est un musulman pratiquant, probablement intégriste, entretenant des liens étroits avec un réseau islamiste autour de la mosquée de Brønshøj. Cette hypothèse est soutenue par le fait que l'imam Khalid Yasin...

Une image tout aussi floue de l'imam de Brønshøj est maintenant incrustée. Celle-là venait sans doute des services de renseignements danois.

... qui aurait déjà appelé au boycott de la viande de porc danoise plusieurs fois, semble maintenant avoir rejoint le preneur d'otages.

C'est l'épouse du comptable, madame Cathrine Johansen, qui a tiré la sonnette d'alarme.

Elle cherchait depuis un certain temps à entrer en contact avec son mari par téléphone, et avait fini par trouver l'adresse via son avocat.

Madame Johansen, que s'est-il passé ?

Le cadre s'élargit jusqu'à faire entrer Cathrine dans le champ.

CATHRINE :
Bonjour ! Quelqu'un criait à travers la boîte aux lettres ! Et faisait claquer le battant ! Un claquement vraiment... désespéré ! C'était une jeune femme déséquilibrée, elle criait qu'ils étaient enfermés. Et ses parents aussi !

Cathrine lance un regard interrogateur au journaliste, qui lui fait signe de continuer sur sa lancée.

Le père de la jeune femme criait lui aussi d'un ton désespéré derrière elle, et il a glissé sa carte de visite par l'ouverture, il s'appelle Neumann. Et la fille criait que je devais trouver le concierge, mais c'est alors que j'ai vu ce nom très... étranger, sur la porte.

LE JOURNALISTE :
Abusaada ?

CATHRINE :
Quelque chose comme ça, oui. À ce moment, j'ai lu sur la carte de visite que le père était vice-président d'une communauté judaïque. Ils sont juifs, vous comprenez ? Un musulman a enfermé toute une famille juive ! Qui ne peut pas sortir ! Alors que j'étais en train d'hésiter, la jeune fille a hurlé quelque chose... Elle a crié « fatwah »...

LE JOURNALISTE :
Elle a crié « fatwah » ?

CATHRINE :
Oui ! À travers la boîte aux lettres ! Je n'ai pas osé attendre plus longtemps. J'ai pris l'escalier pour redescendre, au cas où il aurait placé une bombe dans l'ascenseur. Puis j'ai appelé la police !
Mon mari est également à l'intérieur, je suis tellement inquiète. Il ne faut pas qu'il lui arrive quoi que ce soit, j'ai des papiers à lui faire signer.

LE JOURNALISTE :
Merci beaucoup.

Le cadre de l'image change encore, on ne voit plus que le journaliste.

La menace d'une fatwah assombrit l'espoir d'une fin heureuse. La police a fait évacuer tous les autres appartements de la résidence. Le robot démineur et les unités antiterrorisme se tiennent prêts, mais dans l'expectative. Aucune revendication ne s'est fait entendre de la part du ravisseur, et il n'a pas été possible d'établir un contact téléphonique.

L'expert-comptable Johansen ne décroche pas non plus, il est possible qu'il en soit physiquement empêché. Nous manquons d'informations à ce sujet.

Cependant, les caméras de sécurité de l'immeuble ont filmé une scène étrange plus tôt dans la soirée. Il semblerait que le comptable Johansen soit parvenu à se rendre momentanément sur le balcon, d'où il aurait jeté un paquet non identifié, probablement des explosifs.

Une vidéo en noir et blanc de mauvaise qualité s'affiche à l'écran, où l'on me voit me précipiter dehors pour jeter par-dessus bord le rôti de porc.

Une autre caméra a, au même moment, filmé la récupération du paquet par l'imam intégriste qui montait la garde au bas de l'immeuble. L'objet serait tombé dans un bassin à carpes proche, immédiatement saisi par l'imam et ramené dans le bâtiment.

L'image montre une autre vidéo de même qualité, où l'on aperçoit des éclaboussures venues du bassin et l'imam qui récupère le rôti.

Les micros de la police, sensibles et soigneusement orientés, ont capté une faible voix appelant à la prière depuis le balcon de l'appartement.

Nous avons obtenu un commentaire du membre du Parlement, Per Nielsen, de la Liste des Citoyens.

L'image coupe en faveur de Per Nielsen, membre du Parlement danois, devant sa villa de Kalundborg, avec son chien en arrière-plan qui réduit en pièces un quelconque vêtement.

PER NIELSEN :
Laissez-moi vous assurer que nous avons toute confiance en la police pour gérer la situation. Mais il se trouve que le preneur d'otages n'a pas de casier judiciaire, et n'était pas sur la liste des services de renseignements comme personne à surveiller.

Les Danois méritent mieux que ça, et bien entendu, je poserai dès que possible la question au ministre : comment se fait-il qu'un preneur d'otages islamiste ne soit enregistré nulle part ?

Retour au journaliste.

LE JOURNALISTE :
Les inquiétudes de Per Nielsen sont partagées par tous les Partis, en dehors de l'extrême gauche, qui affirme qu'il vaudrait mieux enquêter sur l'expert-comptable.

De son côté, les services de renseignements affirment qu'un réfugié palestinien dont l'asile a été refusé, Abdel Aziz al-Rantissi...

Une photo d'un homme barbu que je n'ai jamais vu avant apparaît.

... séjourne actuellement à la même adresse. Il semblerait qu'il ait été aperçu dans la montée, mais aucun témoignage ne permet de le confirmer.

À cet instant, on se retranche dans l'appartement du septième étage. En quoi consiste la fatwah ? Quelles seront les revendications ? Nous en saurons certainement plus à la prochaine initiative du preneur d'otages, Mahmoud Abusaada. Retour aux studios.

Je crois que c'était à peu près ça.

Chapitre 11

À propos des envies de liberté.

On ne savait rien !

Nous étions dans le salon, et nous nous sentions exclus et oubliés. Et enfermés, bien sûr. Quand un groupe de personnes a un problème en commun, je suis toujours un peu attristé de les voir perdre leur énergie à chercher un responsable.

« Je n'y suis pour rien ! La poignée est tombée ! se défendait M. Neumann. J'ai utilisé cette poignée comme une poignée, vraiment étrange, non ? »

Il se tourna vers Mahmoud et moi, assis un peu à l'écart sur le canapé. « Les locataires de l'appartement sont responsables de l'état des poignées. Pas moi !

– Calme-toi, papa, dit Lærke, fatiguée. Tu vois pas qu'ils sont désolés ?

– Désolés ? Et la dame sur laquelle tu as hurlé à travers la boîte aux lettres, hein ? Celle que tu as fait fuir... Elle aurait pu nous aider ! »

Lærke faisait de son mieux pour maîtriser son tempérament.

« Ça fait plusieurs heures, papa, dit-elle patiemment. La bonne femme était fada, je lui ai dit. Elle s'est tirée en courant quand tu as donné ta carte de visite ! »

M. Neumann eut besoin d'inspirer profondément.

« Ça fait trente ans que je distribue des cartes de visite, jeune fille, siffla-t-il, indigné. Personne n'a jamais fui en hurlant en recevant ma carte !

– Tu devrais peut-être quand même en faire de nouvelles, tenta Mme Neumann, qui n'aimait pas voir sa famille se disputer.

147

– Tais-toi, Sonja ! » lança son époux d'une voix qui crissait. Wuuush ! La chasse d'eau retentit, et l'imam de Brønshøj sortit immédiatement en souriant des toilettes.

« Vous avez vraiment eu le temps de vous laver les mains ? » demanda Mme Neumann avec un air sévère, et l'imam fit volte-face, contrit, et retourna d'où il venait.

M. Neumann sauta sur cette nouvelle cible dans sa chasse au responsable. Car s'il fallait vraiment aborder le sujet, et il trouvait de toute évidence que c'était le cas, c'était bien celui qui venait de faire un passage éclair dans le salon qui avait claqué la porte en arrivant !

Lærke soupira. Elle donnait visiblement raison à son père, pour ce qui était de la bêtise de l'imam. Je trouvais cela un peu étrange. Quand elle parlait du religieux, son timbre de voix se faisait particulièrement dur. D'après ce que je savais, elle ne l'avait pourtant jamais rencontré avant. Et d'ailleurs, elle le défendit.

« C'est un idiot, papa, c'est vrai, dit-elle. Mais il n'avait aucun moyen de savoir que la porte allait se bloquer.

– Je ne dis pas le contraire ! se défendit le père. Je rappelle simplement les faits : la porte a été claquée. Et si elle n'avait pas été claquée, on ne serait pas enfermés. Maintenant, nous sommes enfermés, et je me permets simplement de mentionner qui a claqué la porte ! »

L'imam revint des toilettes, et montra fièrement ses mains à Mme Neumann.

« Voilà !

– Pourquoi avez-vous claqué la porte ? » demanda-t-elle.

L'imam lança un regard confus par-dessus son épaule.

« Je le fais pas ! se défendit-il. Je même pas eu le temps de fermer la porte encore après moi. »

Il se dépêcha d'aller fermer la porte de la salle de bains.

« L'autre porte ! siffla M. Neumann. Mon épouse parle de la porte d'entrée. Pourquoi tu l'as fermée ? »

L'imam avait l'air perdu. Il faisait ça tout le temps. Quand il passait une porte, il la refermait derrière lui. Pour qu'elle ne reste pas ouverte. Y avait-il un problème avec ça ?

« Elle s'est bloquée ! cracha M. Neumann.

– Je pouvais pas en savoir aucune idée ! »

L'imam souligna son propos par le fait que personne ne l'avait prévenu. Avant qu'il ne soit trop tard, du moins.

Au fond, le problème était simplement que personne ne nous savait enfermés. Ce n'était pas plus grave que ça. Croyions-nous.

« Il faut qu'on arrive à avoir un contact avec le monde extérieur, dit Lærke. Est-ce qu'on peut se concentrer là-dessus ?

– Pourquoi tu n'es pas à Charlottenlund ? lui lança son père à nouveau, rouge de colère.

– Arrête avec ça, tenta son épouse. Ça attendra, Asger, ça n'a pas d'importance pour le moment. »

Ce fut sans effet. Son mari s'y intéressait de façon agressive.

« Pourquoi tu n'es pas à Charlottenlund ? reprit-il.

– Il y a plein qui sont pas à Charlottenlund, intervint l'imam. Moi je suis pas par exemple à Brønshøj non plus ! »

Il se voyait lui-même comme un instigateur de paix et avait eu, au fil des années, pas mal de succès dans ce domaine. Mais pas ici.

M. Neumann lui lança un regard furieux, et Lærke s'empressa d'intervenir avant de devoir débattre de sa vie privée avec ses parents, des voisins et un imam.

Elle n'allait pas bien, ça crevait les yeux, mais la dernière chose qu'elle voulait, c'était de l'aide. Sans doute parce qu'elle savait que cette aide ne serait pas qualifiée.

« Ceci est un conseil de famille, assena-t-elle. On va se retirer entre nous un instant.

– Mais enfin, on ne peut pas sortir ! lança son père.

– Je m'en souviens, merci, répondit-elle en ouvrant la porte de la chambre de Mahmoud.

– Le lit n'est pas fait ! » protesta Mahmoud, paniqué, mais personne ne fit attention à lui.

Les époux Neumann disparurent dans la chambre derrière leur fille, et la porte fut refermée. Nous les entendions encore, bien sûr. Une dispute est une dispute. Et si nous l'avions voulu, nous aurions pu prêter attention aux mots qu'ils échangeaient. Mais nous n'en avions aucune envie, et le son de leurs voix resta un bruit de fond.

Mahmoud et moi étions restés à l'écart des derniers échanges, mais nous avions enfin une opportunité de nous parler. L'imam, lui, avait tourné son attention vers le frigo.

Si ni l'un ni l'autre n'avait pipé mot, ce n'était en aucun cas parce que nous ne nous sentions pas concernés par la situation. Mes nerfs étaient à fleur de peau, mais j'essayais de ne pas y faire attention. En partie parce que je n'aime pas quand les gens se crient dessus – ça me désarme totalement – mais aussi parce que je savais que tout ceci n'était pas de la faute de Mahmoud.

Mais pour autant, il fallait bien regarder la vérité en face.

« Tu le sais, n'est-ce pas ? commençai-je. Ça pue à des kilomètres. Elle se la joue escort.

– Ford Escort ? Ben non, elle n'a même pas de voiture ! »

Était-il bête, ou *voulait-il* être bête ? Si elle n'avait pas de voiture, elle avait sans doute un chauffeur.

« *Escort girl !* » répétai-je.

Mais Mahmoud n'acceptait pas l'idée.

« Elle est kinésithérapeute, elle l'a dit elle-même ! » insista-t-il.

Si elle était kinésithérapeute, alors elle s'était spécialisée dans des zones physiques très précises. Mahmoud s'était totalement trompé à son sujet, et il fallait maintenant qu'il ouvre les yeux, et vite.

Mais mon accusation le perturbait, et il appela l'imam à l'aide.

« Khalid Yasin, lança-t-il. Aide-moi ! »

Khalid Yasin était volontaire, bien entendu. Il est vrai qu'il n'avait pas encore terminé de libérer la deuxième étagère du frigo de ses meilleurs aliments, mais jamais il n'aurait pu laisser une prière sans réponse. Cependant, pouvait-il aider ?

« Cette femme, qui habite juste au-dessus... Je ne pas la connais du tout, Mahmoud », commença-t-il.

Je ne pus me retenir de demander comment il savait qu'elle habitait au-dessus, dans ce cas.

« Je ne le sais pas non plus », répondit-il vite, et Mahmoud prit la relève.

Il avait connu l'imam toute sa vie, et chaque fois qu'il n'avait pu comprendre quelque chose, l'imam avait été là pour lui. À travers toutes ces années, c'était vers l'imam qu'il avait pu se tourner quand la vie était trop dure. Mahmoud n'était pas aveugle au fait que son vieux mentor pouvait passer pour un type un peu bizarre, mais il ne faut pas sous-estimer les imams. On ne devient pas plus bête d'aimer manger.

Khalid Yasin secouait la tête et souriait en s'asseyant à côté de Mahmoud.

« Je ne suis pas un très malin imam, dit-il, mais je connais le Coran ! Et alors à chaque fois je te dis : c'est écrit comme ça dans le Coran. »

Je suis fatigué des gens qui se réfèrent à un quelconque écrit religieux plutôt que de réfléchir par eux-mêmes. Soyons sérieux, il en va de même pour le Coran et la Bible : tout y est écrit ! Si on veut aller à gauche, hop-là ! On trouve un écrit quelque part qui nous l'indique. Et si on veut aller à droite, on trouvera bien dans les épîtres de saint Paul, ou dans les notes de bas de page du Prophète, d'après un quelconque cheik au Yémen, une indication comme quoi c'est sans doute une très bonne idée aussi.

« Ce n'est pas comme ça que ça marche ? » demandai-je.

L'imam me lança un regard accablé. « La foi est impor-tante, Maurice Olsen ! dit-il. Tout le monde pareil a besoin de croire que tout n'est pas au hasard. La foi, toutes les fois, est comme un volcan. »

151

Ce n'est pas exactement cette image qu'on a en tête en lisant le quotidien chrétien *Kristeligt Dagblad*. Mais je le laissai continuer, parce qu'il se lançait dans une métaphore qui me surprit. Pas la métaphore en elle-même, mais plutôt le fait qu'elle vienne de lui. C'était sans doute une image qu'il avait récupérée quelque part, mais elle avait du sens.

Au fond du volcan se trouvait de la lave en fusion, tout le temps. C'était cette lave qui illustrait la notion de foi. Le besoin d'avoir une foi, de trouver un sens à l'existence, est dans chaque personne, comme la lave au fond du volcan. De temps à autre, le volcan entre en éruption, et la lave déborde. Une partie s'écoule sur le versant nord du volcan, une autre sur le versant sud – et peut-être qu'il en coule aussi à l'est et à l'ouest. Après un moment, la lave refroidit et commence à durcir. Elle s'adapte aux paysages sur lesquels elle s'est écoulée, et c'est pourquoi la forme qu'elle adopte sera différente sur chacun des quatre versants. Chaque côté aura sa propre forme, se séparera des autres. Mais ils viennent tous du même endroit, et sont tous faits de lave.

« Les mondes arrivent d'être différents, me dit l'imam, mais les gens sont les mêmes. »

Mahmoud était fier. C'était ce genre de choses que Khalid Yasin savait faire, et c'était pour ça qu'il était imam.

Comme je l'ai dit, je trouve que c'était une image intelligente. J'étais même preneur.

Pas seulement parce qu'on pouvait l'appliquer ici et maintenant. Je m'amusais d'avance – les religions ont souvent de petits problèmes de conséquence.

« Si nous sommes tous les mêmes… commençai-je, enjoué, en posant une main sur l'épaule de l'imam. Alors il n'y a aucun problème si un musulman tombe amoureux d'une juive ? »

Je le tenais ! J'en étais sûr. Mahmoud fixait l'imam, au supplice.

Mais Khalid Yasin était plein de surprises.

« Ben non, ça s'est très bien ! assura-t-il. L'amour entre homme et femme est toujours béni. Le Coran dit, comme c'est écrit, que Mahmoud a devoir de faire que sa femme – et aussi si juive – peut avoir sa propre foi. »

Je n'étais pas au courant de ça. Il m'avait eu.

« Mais ce qui est important, c'est les enfants ! ajouta-t-il avec grand sérieux. Qui doivent toujours avoir justement l'éducation de la foi du père ! »

Bon, inutile de voir aussi loin, pas vrai ? Compte tenu du fait que le premier contact entre les deux jeunes gens s'était traduit par un sacré savon, ça me semblait un peu prématuré de penser à leur progéniture.

Je me permis de le mentionner, mais Mahmoud para d'une nouvelle citation.

« Le charme d'une femme n'est pas directement proportionnel à son amabilité ! » déclama-t-il, non sans pathos, avant de jeter un regard en biais vers l'imam. Qui lui retourna un air inquisiteur, puis secoua la tête et concentra à nouveau son attention sur le frigo.

Mahmoud haussa les épaules.

C'était bien tenté, mais… loupé.

Nous entendions toujours les voix depuis la chambre. Elles s'étaient muées en accompagnement de fond, en dehors des occasions relativement nombreuses où on avait distingué M. Neumann demandant à sa fille pourquoi elle n'était pas à Charlottenlund.

Je tentai de profiter de l'occasion pour signaler à Mahmoud qu'une fois toute cette histoire terminée, il faudrait qu'il se sorte cette fille de la tête.

Il pouvait entendre lui-même le bazar que cela occasionnait !

« Pourquoi ça ? demanda-t-il. Je n'ai jamais été plus proche d'elle que maintenant. Au milieu de tout ce foutoir, je suis heureux, en fait. »

Dieu du ciel ! Que fallait-il pour arrêter cet homme-là ?

« Excuse-moi, mais tu n'as pas l'air de t'amuser comme un petit fou », lui signalai-je.

Il se tourna vers moi, surpris.

« Qui a dit que c'était forcément drôle d'être heureux ? »

Je remarquai alors que l'imam avait disparu. Était-il retourné aux toilettes ? Ou s'était-il incrusté dans la dispute familiale ? Nous n'avions pas fait attention à lui pendant notre aparté, et maintenant Mahmoud profitait de pouvoir me parler sans être dérangé.

« Maurice, dit-il en agrippant mon bras, ce n'est pas parce que son danois est un peu limite qu'il est idiot. »

J'étais d'accord avec lui. L'imam n'était définitivement pas idiot. Il avait effectivement une syntaxe assez personnelle, mais en réalité, c'est exactement à ce niveau de langage qu'ont lieu la plupart des échanges internationaux.

Je sais bien que la classe politique a un vaste réseau d'interprètes... Mais quand il s'agit de prendre des décisions conséquentes, tous ces chefs d'État aux yeux rougis par la fatigue se retrouvent autour d'une longue table ovale où, à une heure avancée de la nuit, se prennent des résolutions fondamentales. Et cela dans une langue qui n'est pas la leur.

Donc, pas un mot de travers sur l'imam.

Soudain, nous entendîmes des pas dans l'escalier !

Nous n'avions pas le moindre doute, et nous nous jetâmes tous deux à genoux devant la porte de l'entrée.

J'eus tout juste le temps d'apercevoir des chaussures d'homme par l'ouverture de la boîte aux lettres, mais elles ne s'arrêtèrent pas.

« Hé, s'il vous plaît ! » criai-je par la fente. Il s'agissait maintenant de rester calme et de ne pas reproduire l'erreur de Lærke. Mais pourquoi l'homme ne s'était-il pas arrêté ?

« On est enfermés ! » criai-je, et Mahmoud me poussa sur le côté et lui demanda d'appeler le concierge. Nous ne pouvions plus le voir, et entendions à peine ses pas descendant toujours l'escalier. Pourquoi n'avait-il pas pris l'ascenseur ? Les pas se firent de plus en plus lointains avant de disparaître complètement.

Nous continuâmes à crier un moment, sans entendre le moindre son en réponse.

Abattus, nous retournâmes au salon.

« Est-ce que ça pouvait être le facteur ? » avança Mahmoud.

Si ça avait été le facteur, qu'est-ce qui l'empêchait de répondre ? Et franchement… un facteur qui amène le courrier jusqu'à la porte du huitième étage ? Un dimanche soir ? Dans quel siècle Mahmoud pensait-il vivre ?

Je repris la discussion sur Lærke, même si je savais qu'il ne voulait pas en entendre parler. C'était pour son propre bien.

« C'était peut-être un client qui repartait, et qui ne souhaitait pas être vu ? Et si jamais elle était vraiment *escort girl* ?

– Ce n'est pas le cas ! répondit vivement Mahmoud.

– En tout cas, elle ment comme un arracheur de dents. » Ça, on en était sûrs.

Mais Mahmoud réagit au quart de tour.

« Je ne veux pas que tu dises ça ! cria-t-il, et sa voix était sur le point de se briser. T'as aucune preuve de ça !

– Non, mais je suis bon en devinettes.

– Tu devines mal !

– Tu l'as entendue toi-même, mon gars ! Elle ment comme elle respire !

– C'est toi qui mens ! »

Je ne pouvais pas le laisser dire ça ! Je trouvais que j'avais accepté beaucoup de choses de sa part, mais j'avais également mes limites.

« Ah oui ? criai-je à mon tour, saisi par la colère. Tu crois que je mens ? Calme-toi un peu, jeune homme ! Tu oublies qui de nous deux est le chef !

– Et toi tu oublies à qui est cet appartement !

– Ton proprio, j'imagine ! »

Je ne sais pas jusqu'où cette dispute nous aurait menés
– c'était la première fois que nous élevions la voix l'un et
l'autre. Mais nous fûmes interrompus par l'irruption violente
de Lærke, ses parents sur les talons. Elle était à la fois malheureuse et furieuse.

« Vous voulez bien parler à mon père ? hurla-t-elle, hors
d'elle. Il croit que je suis une pute !

– Non, sérieux ? » lâchai-je. Encore cette saleté de loyauté
automatique ! Sauf que... loyauté envers qui ?

« Elle n'est pas du tout une pute ! » La plaidoirie de
Mahmoud était sans concession.

« Vous êtes au courant de quelque chose, vous deux ?
demanda M. Neumann avec un sourire carnassier.

– Oui ! répondit Mahmoud. Moi par exemple, je n'ai
jamais été dans... »

Je l'arrêtai avant qu'il ne complique la situation davantage. Si tant est que c'était possible.

« Tout ceci n'est pas la faute de Lærke ! dit-il encore, désespéré. C'est la mienne ! »

D'un coup, il changea totalement d'attitude. Rotation à
180 degrés.

« Je pourrais peut-être mettre un disque ? » proposa-t-il.

Nous le regardions tous, perplexes. Un disque ? Maintenant ?

« Oui, affirma-t-il. Histoire de nous calmer un peu. J'ai
tout un tas de disques de Noël. Bing Crosby a enregistré...

– Merci ! » M. Neumann ne voulait pas en entendre
davantage. Il était vice-président d'une communauté
judaïque à Hirtshals et il n'était – il jura à ce moment-là – pas
venu écouter des disques couinant des chansons de Noël
catholiques !

« Mais papa, ça m'étonnerait qu'il ait *Hava Nagila*... »
lança Lærke.

Mme Neumann se fit pensive. Il ne lui semblait pas du
tout qu'*Hava Nagila* était une chanson de Noël.

« Je suis arrivé ici sans le moindre préjugé, reprit Asger Neumann d'un ton féroce. Les gens croient ce qu'ils ont envie de croire ! C'est ce que je fais moi aussi. Mais on ne peut pas enfermer d'autres personnes dans son appartement ! »

Pourquoi recommençait-il avec la foi ? Notre problème ne pouvait être réglé ni par Allah, Jéhovah, Dieu, Moïse ou Mahomet. C'était un serrurier qu'il nous fallait !

Neumann retourna sa colère contre sa fille. Il ratissait large, mais avait apparemment besoin de se défouler.

« J'ai jeté un gros paquet de fric par la fenêtre pour toi, jeune fille, siffla-t-il, parce que je croyais que tu ouvrais un beau cabinet à Charlottenlund ! Une fortune ! 100 000 couronnes ! Et des poussières. Mais ne t'en fais pas, tu vas avoir le droit de me rembourser chaque centime ! »

Il en avait fini avec la parlotte. C'était un homme d'action, et il ne comprenait même pas lui-même comment il avait pu tolérer cette situation si longtemps.

« Il n'y a qu'une chose à faire, dit-il en saisissant le lourd tabouret de la cuisine. Je vais casser cette vitre pour que nous puissions appeler à l'aide depuis le balcon !

– Non, Asger ! cria sa femme.

– Si, Sonja ! » cria-t-il en retour.

M. Neumann avait soulevé le tabouret et recula un peu pour prendre de l'élan.

« Asger ! s'écria encore son épouse, désespérée. Ils nous ont dit qu'il y avait du gaz entre les vitres. Ça peut éclater en milliers d'éclats de verre !

– Foutaises ! répondit-il durement.

– Je ne veux pas me retrouver à l'hôpital de Hjørring pendant des jours, sous les pincettes ! » Elle tapait maintenant du pied. « Comment est-ce que je vais préparer le déjeuner de ces messieurs, mercredi ? »

Il s'affaissa.

« *All right*, dit-il alors. Mais il faut qu'on sorte ! Je vais enfoncer la porte !

– Ça, ça va pas être possible, dit Mahmoud.

– Comment tu sais ça ? lui lança M. Neumann. Déjà essayé ?

– Non…

– Bien, pousse-toi ! »

Il reprit son élan, dans une nouvelle direction.

« Arrête, papa, cria Lærke. Tu te donnes en spectacle ! »
Son père lui fit immédiatement comprendre que s'il y avait
une personne qui avait vraiment intérêt à faire profil bas,
c'était elle.

« Laisse-le donc faire », dit sa mère.

Moi, je ne disais rien. Je n'en pouvais plus, et il s'en fallait
de peu pour que j'aie envie de retourner chez Cathrine.

« La porte s'ouvre vers l'intérieur ! prévint encore Mahmoud.

– On va voir ça ! » rugit M. Neumann en se précipitant
dans l'entrée, l'épaule en avant.

Il y eut un choc suivi d'un cri désarticulé. M. Neumann
revint dans le salon en boitillant, se tenant le bras.

« C'est ce que je disais, soupira Mahmoud, elle s'ouvre
vers l'intérieur.

– Sans rire », gémit l'exportateur de poisson blessé en
s'écroulant dans le canapé. Son épouse fonça lui prêter
assistance.

« Lærke ! cria-t-elle. Dépêche-toi, ton père a besoin de
kinésithérapie ! »

C'était une excellente occasion pour la jeune fille de se
rabibocher avec son père, mais elle se contenta de dire :

« L'imam.

– L'imam n'est pas qualifié pour ce genre de choses,
répondit sa mère, agacée. Et de toute façon, il n'est pas là. »

Mais il était là.

Khalid Yasin venait de sortir de la petite chambre et se
tenait devant la porte ouverte. Il était livide.

Lærke était la première à l'avoir vu. Il évitait nos regards.

« Je suis mauvais imam », dit-il doucement.

Pourquoi disait-il ça ? Que s'était-il passé dans la petite chambre. Qu'avait-il fait ? Nous échangions des regards interrogateurs.

« Qu'est-ce que tu veux dire, Khalid ? » demanda Mahmoud, inquiet.

L'imam montra alors son visage, empreint de chagrin et de honte.

« Que je suis mauvais imam.

– Ben oui, personne ne demande mieux, à Brønshøj. »

J'aurais évidemment dû m'abstenir. Mahmoud me lança un regard furieux et me fit comprendre de la boucler. Il était remué, c'était la première fois qu'il voyait Khalid Yasin comme ça. Une personne malheureuse se tenait devant nous, et ce n'était pas le moment de faire des remarques malignes. Surtout que la mienne ne l'était pas, même moi je le voyais.

« Je suis un faible homme, dit encore l'imam doucement, presque pour lui-même, en se laissant tomber sur une chaise. Ce n'est pas comme ça... ça n'est pas doit être comme ça ! »

Il leva les yeux vers Mahmoud, cherchant, si ce n'est le pardon, qu'il savait impossible, du moins la compréhension.

« Mais c'est parce que, Mahmoud, vois-tu, le stress ! On ne sort pas d'ici ! Alors l'esprit est en faiblesse, et mon caractère est édenté ! Je suis un faible homme. »

Il ne pleurait pas. Il n'en était pas loin, visiblement, mais l'imam était un homme adulte. Quelque chose s'était effondré en lui, et il n'arrivait pas à regarder le monde en face, tant il était empli de culpabilité.

« Qu'est-ce qui s'est passé, Khalid ? » Mahmoud le prit par les épaules. Il n'avait jamais fait ça auparavant.

« Je veux ne pas en parler, répondit l'imam. Jamais en parler ! Avec personne ! »

Il enfouit son visage dans ses mains.

Lærke avait commencé à examiner l'épaule de son géniteur. Il avait l'air d'agoniser, mais ne protesta pas.

« Tu t'es froissé un muscle, papa, constata-t-elle. Et très certainement luxé l'épaule. C'est une sacrée motherfucker de luxation ! »

Motherfucker...

J'eus soudain une illumination.

« Le Motherfucker ! criai-je. Mahmoud, on peut utiliser ton Motherfucker ! »

Ils me regardaient tous comme si je perdais totalement les pédales.

« Qu'est-ce que tu veux dire ? » demanda mon assistant, inquiet.

Il lui semblait que tous ses amis étaient en train de partir en cacahuètes.

« Je veux dire, expliquai-je patiemment, que ce n'est pas grave si on n'a pas de téléphone sous la main. On peut utiliser ton Motherfucker !

– Mon quoi ? demanda-t-il, un point d'interrogation imprimé sur la face.

– Ton Motherfucker, bordel ! répétai-je. T'es dur à la détente ou quoi ? Tu étais tellement fier avec ton super disque dur !

– Mon *laptop* ! comprit-il enfin, se tapant le front de la main. C'est un MacBook Pro.

– Tu l'as appelé Motherfucker, maintins-je, me sentant honnêtement lésé.

– On verra ça plus tard, rit-il, tu as raison, on peut aller sur le Net pour trouver de l'aide ! »

On pouvait presque sentir physiquement le soulagement qui venait d'envahir le salon. Seul l'imam restait recroquevillé sur lui-même.

Mahmoud regardait autour de lui. Il ne savait plus où se trouvait l'ordinateur. Mais moi je le savais !

Il se trouvait sur la table de la cuisine avant l'arrivée des invités, et j'avais préféré le ranger. Je l'avais soigneusement porté dans la petite chambre et installé sur l'étagère des sous-vêtements. Il y était douillettement dissimulé et en sécurité.

Je levai les mains en signe d'apaisement, puis allai le chercher. Le soulagement se répandait derrière moi, on le sentait même dans la respiration des uns et des autres. Chacun se détendait – même les lamentations de M. Neumann semblaient plus gaies.

Je venais à peine de saisir le Motherf... non, le MacBook Pro, quand je vis le plat. Je restai d'abord un moment à le fixer, puis ne pus m'empêcher de rire.

« Qu'est-ce qu'il y a ? » entendis-je depuis le salon.

Je ne pouvais pas répondre, tant le fou rire me tenait. Impossible de se retenir.

Mahmoud resta avec l'imam, mais les trois autres vinrent dans la petite chambre voir ce qui pouvait bien être si drôle. Même M. Neumann boitilla jusqu'à la porte. En voyant le plat vide, ils se tournèrent vers moi, inquisiteurs.

« Et ? demanda Lærke.

– Il est vide ! parvins-je à glisser entre deux éclats de rire.

– En quoi est-ce drôle, que ce plat soit vide ? intervint M. Neumann.

– Parce qu'il ne l'était pas avant ! » expliquai-je.

Le plat avait précédemment été entreposé dans le frigo, et un solide rôti de porc du boucher de Værløse avait trôné dessus. La couenne avait brûlé, et le rôti lui-même avait été immergé dans le bassin, mais ça ne l'avait pas abîmé. Et maintenant, il avait disparu.

Le lien se fit pour la famille Neumann, et ils commencèrent également à rire. L'imam avait mangé tout le rôti de porc !

Je faillis faire une plaisanterie comme quoi j'avais toujours été persuadé qu'il était plus difficile à un imam d'ingurgiter un rôti de porc qu'à un chameau de passer par le chas d'une aiguille.

Mais je me retins. Il y a des moments pour faire de l'humour. Mais il nous était difficile de nous retenir de rire.

« Oui ! fit le coupable depuis le salon. Riez ! Autant que vous voulez ! Moquez ! Mépris et ridicule. Je le supporter, je le mérité. »

Nous échangeâmes des regards et fîmes de notre mieux pour nous maîtriser. C'était drôle, parce qu'inattendu et surprenant. Mais pour l'imam, c'était une catastrophe personnelle. Il souffrait de son éternel et malheureux penchant pour la bonne chère. Et du fait de l'enfermement, la pression était devenue trop forte, son esprit était « tombé en faiblesse », comme il l'avait dit lui-même, et il avait cédé. La chair est faible pour la plupart des religions. Cette fois, la chère était le faible de sa religion.

Nous fîmes un effort, et la famille Neumann n'était pas dénuée de compassion.

Sauf Lærke.

« C'est un abruti ! » lança-t-elle, furieuse. Mais sa mère la fit taire et se tourna vers l'imam.

« Moi aussi j'aurais pu le manger », dit-elle, compatissante.

Son mari se tourna vers elle, surpris.

« Ah bon ? » demanda-t-il, mais elle secoua la tête et le fit également taire.

M. Neumann sourit. Ça faisait longtemps.

« File-moi ce *laptop* ! » dit Mahmoud, et je lui tendis la bête. Il m'adressa un sourire et la promesse que l'ordinateur garderait son nouveau surnom.

« Il me suffit d'aller sur le Net, annonça-t-il énergiquement. Pourquoi est-ce que je n'y ai pas pensé avant ? On sera sorti avant d'avoir eu le temps de le dire ! Je peux aussi utiliser Skype ! »

Il ouvrit la machine, et un bourdonnement sourd s'en échappa. La lumière de l'écran s'alluma.

Était-ce le moment de crier hallelujah ?

Pas vraiment. Parce qu'au même moment, toutes les lumières de la résidence s'éteignirent. La seconde d'après, la grande fenêtre explosa, et trois silhouettes toutes de noir vêtues passèrent à travers et atterrirent au beau milieu de tout ce foutoir. On percevait une fumée douceâtre et le bruit d'un hélicoptère, puis un puissant projecteur nous balaya tous.

Mme Neumann hurla quand les silhouettes en noir sortirent leurs mitraillettes, et le meneur du groupe d'intervention lança à travers un mégaphone :

« Tout le monde à terre ! Calme, pas de panique ! Vous êtes en sécurité ! »

Puis il passa au talkie-walkie : « Papa Écho Tango – otages sécurisés dans le salon – preneur d'otages pacifié – robot démineur à la porte – à vous ! »

Que ce soit le tumulte ou les vibrations, la platine démarra.

Have yourself a merry little Christmas,
Make the yuletide gay,
From now on,
Our troubles will be miles away.

Chapitre 12

*Du sérieux qui s'invite à la fête, du 24 décembre et du célèbre
chroniqueur P. Jørgensen.*

Les choses devenaient sérieuses.

Ce n'est pas que ça ne l'était pas avant. Mahmoud et moi
avions frayé avec ce qu'il y a de plus sérieux dans la vie :
l'amour. Lui fonçait dessus sans aucune hésitation, et moi
je le fuyais en hurlant. Chacun à sa façon, nous courrions
après le bonheur. C'est qu'il ne vient jamais de nous, le bonheur – il vient à travers les autres. Ceci dit, pas n'importe
qui. Je suis bien placé pour le savoir...

Mais au milieu de toute cette gravité, on peut toujours
trouver matière à sourire. De soi-même ou des autres.
C'est d'ailleurs recommandé, parce que ça dédramatise de
façon si charmante. Le rire est une approche intellectuelle
qui redonne souvent aux désagréments de la vie leurs proportions objectives. Tout ce qui précède, toutes ces méprises
et maladresses entre des gens qui au fond n'avaient que de
bonnes intentions... Tout ceci peut peut-être prendre une
allure comique.

Mais pour l'heure, c'était du sérieux qui devenait vraiment
sérieux, parce que ce qui était arrivé dépassait l'entende-
ment. La police avait placé Mahmoud en détention provisoire !

Prouver que la prise d'otages était un malentendu fut
rapide. Tout le monde était d'accord sur le déroulement
factuel – Asger Neumann était furieux, mais pas menteur. Il
n'y avait pas eu de prise d'otages, jusque-là tout allait bien.

Le problème était que la police prenait Mahmoud pour
quelqu'un d'autre.

J'étais persuadé que dans notre pays soigneusement
réglementé, constater l'identité de quelqu'un n'était pas

compliqué, mais la police semblait disposer d'indices indiquant que Mahmoud vivait sous une fausse identité. Quels indices exactement, aucune idée. Même Mahmoud n'avait pas accès à ces preuves, protégées par les lois antiterrorisme. Il n'est pas facile de se défendre quand on ne sait absolument pas contre quoi on doit se défendre. Et je ne pouvais pas entrer en contact avec lui, car il était en isolement.

J'étais allé lui porter quelques sacs de linge et son iPhone. Ils avaient soigneusement fouillé le linge, l'avaient scanné et vérifié sous toutes les coutures. L'iPhone, on me l'avait rendu.

Un iPhone est à peu près numéro un dans la liste des choses qu'on ne peut pas donner à un homme placé en isolement, avaient-ils dit.

Du moins, ça dépend de l'opérateur qu'on a choisi.

On avait proposé une cellule de soutien psychologique aux époux Neumann, mais ils avaient préféré rentrer immédiatement à Hirtshals.

L'imam avait d'abord été placé en détention avec Mahmoud. Il avait menacé d'entamer une grève de la faim, mais ça n'avait convaincu personne. La police avait été obligée de le relâcher au bout de vingt-quatre heures. On ne trouve aucun paragraphe interdisant de claquer une porte, même dans les lois sur l'immigration.

Lærke avait adopté un comportement étrange. Elle était d'abord restée renfermée et silencieuse, totalement passive. Choquée, avais-je supposé. Mais quand Mahmoud avait été enfermé, elle s'était réveillée et avait rué dans les brancards.

Ils ne voulaient pas l'écouter.

Enfin, si, ils voulaient bien, mais pas maintenant. Ils travaillaient intensivement sur l'affaire, mais l'enquête tournait au ralenti en raison des compensations horaires, et puis c'était bientôt Noël... Ils avaient promis de la recontacter dans les plus brefs délais.

En ce qui me concerne, je ne l'avais pas beaucoup vue. Elle se tenait à l'écart, et on ne peut pas dire qu'elle s'était adoucie. J'avais pris l'habitude de mettre les disques de Mahmoud de temps en temps, et ça ne manquait jamais, elle descendait immédiatement se plaindre du bruit.

Une fois, je l'avais forcée à entrer, posant une tasse de café devant elle. Elle ne l'avait pas touchée. Je trouvais son comportement déraisonnable. Il ne faisait aucun doute que Mahmoud s'était mêlé de ce qui ne le regardait pas et avait causé un sérieux bazar dans quelque chose dont nous ignorions encore tout.

Mais tout ce qu'il avait fait était guidé par les plus pures intentions. Et il était maintenant derrière les barreaux.

« Enfin, ce n'est pas ma faute, dit-elle.

– Non ? » répondis-je, et elle se contenta de regarder ailleurs sans répondre. Je ne savais pas vraiment ce que je cherchais. La vérité, peut-être ? Oui, pourquoi pas.

« Tu reçois souvent de la visite, là-haut ? tentai-je.

– De ma famille ? Plus maintenant, merci pour ça ! »

J'essayai alors un autre angle d'attaque, plus doux.

« D'une certaine façon, il est le seul responsable, soupirai-je. Tout a commencé avec cette invitation à dîner.

– Ce n'est pas toi qui as invité ? » commenta-t-elle sèchement. J'essayai de capter son regard.

« Lærke, tu sais pourquoi il a fait ça, pas vrai ? »

Elle répondit sans agressivité, mais en baissant les yeux.

« Il est à côté de la plaque…

– Ils le relâcheront peut-etre avant Noel. Et alors, Lærke ? Je vais me retrouver seul avec lui pour le réveillon de Noël. Ça ne va pas. Qu'est-ce qu'on dit à un musulman le soir de Noël ?

– Je sais pas, dit-elle en haussant les épaules. Probablement "un Coca et un paquet de Camel, je paye par carte". »

Ma patience venait d'atteindre ses limites, et je sentais une boule se former dans ma gorge. Comment cette petite se permettait-elle de banaliser une situation sérieuse avec une blague de mauvais goût !

Je tapai du plat de la main sur la table.

« Pourquoi tu dis des choses comme ça ? criai-je. Tu es totalement insensible ou quoi ?

– Qu'est-ce que tu veux que je dise, bordel ? »

Je remarquai qu'elle avait les larmes aux yeux. Comment cela se faisait-il, quand elle parlait comme ça ?

« C'était juste pour rire, d'accord ? » se défendit-elle.

Elle ne comprenait vraiment pas ?

« Mais ce n'est pas drôle, Lærke ! dis-je. Enfin, si, peut-être, mais pas là maintenant ! Là, tu es juste grossière.

– Mais c'est justement ça qui est drôle ! me lança-t-elle avec un air résigné.

– Non, ça ne l'est pas ! Lærke, Mahmoud est une personne fragile. On peut facilement le blesser. »

Elle se détourna de moi.

« On peut éviter de lui parler, dit-elle. Comme ça, on ne prend pas de risque. »

C'en était trop. Terminé ! Je lui avais donné toutes les occasions de s'adoucir. Le gars l'avait plus ou moins demandée en fiançailles, s'était mis à nu, s'était rendu vulnérable... Et elle n'avait *pas* dit oui. Bien compris, merci. Mais elle pouvait quand même faire preuve d'un minimum de délicatesse.

« Oui, dis-je en lui donnant raison. Bien entendu... Mais laisse-moi te dire, à mon avis, le mieux serait d'éviter de le farcir de bobards. »

Elle me lança un regard glacé. Pas la moindre larme ici.

« Tu accuses qui, là ? demanda-t-elle.

– Tu sais quoi, Lærke, ne pus-je m'empêcher de dire, tu sais quoi ? Ils le prennent pour quelqu'un d'autre !

– Ah. Et c'est le cas ? »

Son expression était vide. Comment percer à jour cette gamine ?

« J'ai dû passer un accord assez onéreux avec un avocat, ajoutai-je en essayant de me dominer, pour leur faire comprendre que Mahmoud est simplement Mahmoud ! »

Elle m'adressa un rapide coup d'œil. Puis elle me demanda le numéro de l'avocat. Je le lui donnai, puis elle s'en fut.

Sans commentaire supplémentaire.

Moi, je n'avais aucun doute. Mahmoud était Mahmoud. Qui aurait-il été, sinon ?

Un autre jour, j'étais descendu chez l'épicier du coin, celui qui vendait tout et n'importe quoi, pourvu qu'il l'ait en stock. Il y avait un petit attroupement autour d'un vieux poste de radio. Ils me firent signe de m'approcher du comptoir et d'écouter en silence.

Il y avait du nouveau sur ce qu'on appelait maintenant « la prise d'otages d'Avedøre ».

Le supposé preneur d'otages, Mahmoud Abusaada, est toujours en détention. Mais le couple juif, qui a été retenu en otage avec leur fille adulte et un comptable danois dans l'appartement du septième étage, a reçu l'aide d'une cellule de soutien psychologique et est apparemment sauf et sans séquelles...

La police maintenait l'appartement sous surveillance depuis un moment, suite à un tuyau anonyme concernant un immigré clandestin d'origine palestinienne. Il reste cependant des incertitudes à propos de l'identité du jeune homme arrêté. Certaines pistes semblent affirmer que l'homme aperçu sur le balcon serait bien le fugitif d'origine palestinienne, mais parallèlement, des témoins confirment l'identité du suspect Abusaada.

Une nouvelle surprenante, les otages affirment n'avoir jamais été des otages. Il s'agit probablement de ce qu'on appelle le syndrome de Stockholm...

Je n'avais pas envie d'en entendre plus. Je fis un signe de la main aux bougnouls – oui, ils ont dit eux-mêmes que je n'avais qu'à les appeler comme ça – et m'en allai. Je n'avais besoin de rien, de toute façon.

Il s'agissait maintenant d'amener rapidement Mahmoud devant un juge. Rien d'autre ne comptait jusque-là.

J'ai en vérité une grande confiance en l'honnêteté de notre système judiciaire. Mais pas totalement sans réserve.

Je n'ignore pas que la durée gravement symptomatique des procédures et les frais gargantuesques inhérents à la justice danoise rendent illusoire la protection juridique pour cette frange de la population qui n'a pas les fonds nécessaires à sa disposition. Mais lorsque vient le moment du jugement, je ne doute pas de l'intégrité ni de l'honnêteté du juge.

Amener un détenu provisoire devant la cour est une chose, le tribunal essayant toujours de laisser la police travailler le plus longtemps possible sur l'affaire. Mais passé ceci, je crois sincèrement en l'impartialité du verdict.

Il fallait donc amener Mahmoud jusque-là le plus vite possible.

Je n'avais pas beaucoup de marge de manœuvre, et n'étais pas financièrement apte à engager une star comme avocat.

Je n'avais en fait qu'une possibilité. Je ravalai donc ma fierté et appelai l'avocat de Cathrine. Ma seule opportunité était d'accepter les conditions de divorce totalement déraisonnables qu'il avait concoctées. Je proposai de signer sans complication s'il sortait Mahmoud de prison.

Il promit de s'y mettre immédiatement, mais entre-temps, le jour de Noël était arrivé et rien ne s'était passé. Quel monde étrange. On pourrait spontanément supposer que Noël est le genre d'événement qui incite à faire sortir les innocents de prison. Il semblait que c'était plutôt un argument pour faire l'inverse. Manque de personnel, malheureusement, vous savez ce que c'est, les fêtes de fin d'année…

Je retournai à l'appartement à pied, désolé d'être obligé de faire confiance à ce qu'on pouvait sans problème appeler un tocard. Il n'y avait aucun jeune en mobylette devant le bassin à carpes censé améliorer l'environnement. En levant les yeux vers la façade de l'immeuble, je vis l'immense échafaudage qui avait été installé jusqu'au septième. Il fallait réparer la vitre, et le balcon avait également été endommagé.

Je pris l'ascenseur jusqu'en haut, et en sortant sur le palier, je sentis la fumée.

Rien à voir avec un incendie ou un rôti de porc cramé, c'était du tabac. Elle venait d'en dessous. Je me penchai par-dessus la rambarde de l'escalier et vis un homme d'âge mûr à l'étage inférieur, tirant sur une cigarette.

« Bonjour », dis-je poliment. Il se tourna vers moi, fit un rapide signe de la tête en retour, mais ne dit rien. C'était étrange, et je me penchai encore pour ajouter : « Et joyeux Noël. »

Il ne leva pas les yeux, mais lança juste : « Pour certains, oui. »

Après une telle remarque, on ne peut pas simplement rentrer chez soi, aussi descendis-je l'escalier jusqu'à lui. Une fois à côté de lui, il m'adressa un nouveau signe de tête. Pas désagréable. Pas absolument agréable non plus. Désillusionné ?

« Maurice Johansen, me présentai-je. J'habite au-dessus. Enfin, j'habite chez le type qui habite au-dessus.

– J'habite ici », répondit l'homme. Il ne dit pas son nom, mais pointa du doigt la porte de l'appartement. C'était écrit *P. Jørgensen.*

P. Jørgensen tira une bouffée de sa cigarette et regarda droit devant lui, pendant que la fumée faisait un tour dans ses organes puis ressortait à l'air libre.

« Tu fumes peut-être ici pour ne pas déranger ta femme ? » demandai-je. C'était vraiment une situation trop étrange pour simplement partir.

Il me lança un regard attentif.

« Je vis seul », dit-il enfin.

Je me dis qu'il n'y avait alors aucune raison de sortir sur le palier pour fumer. Il n'y avait personne chez lui à incommoder.

« Je n'aime pas fumer à l'intérieur », expliqua-t-il d'une voix mélancolique. Il me raconta qu'il avait pour habitude d'aller fumer sur le balcon, mais après tout le tremblement de la semaine passée, on avait bloqué le balcon avec un gros échafaudage. C'étaient des Polacks qui étaient venus l'installer, ajouta-t-il, malheureux. C'étaient toujours des Polacks !

J'objectai que c'était simplement leur travail, et que rien n'indiquait que les ouvriers étaient polonais.

« Ils sont à l'heure, répondit-il d'une voix triste, avant de tirer encore une bouffée. Et ils ne prennent pas de pause. Des Polacks !

– Tu n'es pas suédois, par hasard ? » demandai-je sous le coup d'une impulsion.

Je ne sais pas exactement pourquoi, il parlait pourtant danois. Mais j'avais eu une pensée fugace pour le commissaire Martin Beck* et son pénible voisin à col blanc, qui débarque toujours en faisant l'intéressant quand Beck a besoin de calme.

Il me regarda, surpris, puis secoua lentement la tête. C'était une question bête, il avait l'air d'être le contraire absolu de quelqu'un qui cherche à attirer l'attention.

« J'habite au-dessus depuis environ un mois, commençai-je pour être prévenant. Étrange qu'on ne se soit pas croisés avant.

– Pas du tout. L'ascenseur s'arrête indépendamment à chaque étage. »

Un tel immeuble, expliqua-t-il, était comme un empilage d'îles désertes. Chacun ne s'occupait que de soi, et lui aussi. Il était persuadé qu'il se passait des choses mystiques dans la montée. Mais ce n'était pas son problème, il avait déjà assez de préoccupations de son côté.

« Si tu veux passer boire un café, tu es le bienvenu », proposai-je.

Mais il secoua lentement la tête, triste. Fréquenter des gens, ce n'était pas son truc. De toute façon, la plupart avaient une araignée au plafond.

---

* Allusion à la série de romans policiers des années soixante-dix, du couple suédois Maj Sjöwall et Per Wahlöö, aujourd'hui considérés comme précurseurs du roman policier nordique moderne. *(Note du Traducteur)*

Une pensée me frappa. L'inconnu dans l'escalier !

« Ce n'était pas toi par hasard qui descendais par l'escalier depuis le huitième il y a une semaine ? »

J'eus droit à un regard vide.

« J'habite ici au sixième, dit-il, grognon. Je ne vais jamais plus haut.

– Et pourquoi pas ? demandai-je encore.

– Parce qu'il y a d'autres personnes qui habitent là.

– Peut-être que... tentai-je en prenant une profonde inspiration. Peut-être que tu étais là-haut... en visite ? »

J'évitai son regard. Inutile, puisqu'il ne cherchait pas à capter le mien.

« Je ne connais pas d'autres personnes, marmonna-t-il. Pourquoi j'irais faire des visites ? »

Je m'excusai. C'est vrai que c'était une question bizarre.

« Une question bizarre ? répéta-t-il. Qu'est-ce que tu y connais en questions bizarres ? »

Embarrassé, je marmonnai quelque chose d'inaudible.

« Et si, reprit-il, si nous étions tous les deux dans une voiture roulant à la vitesse de la lumière, et que d'un coup on mettait les feux de route. Que se passerait-il ? »

Je me tournais vers lui, en pleine confusion. Je n'en avais aucune idée.

« Alors, hein ? dit-il, satisfait. Tu vois, ça c'est une question bizarre. On peut se permettre de cogiter dessus. Et c'est ce que je fais. Les politiques s'en balancent, ils laissent les accidents de la route se produire. »

J'étais à peu près certain que nous étions en train de dire n'importe quoi. Mais je restais indécis.

« C'est une pensée intéressante, dis-je, docile.

– Je suis chroniqueur, répondit-il en aspirant une fugace bouffée. C'est-à-dire – je suis philosophe. Je réfléchis aux choses. Il faut bien qu'il y en ait qui le fasse. »

J'acquiesçai. J'étais persuadé qu'il était important que certaines personnes réfléchissent. Aucun doute là-dessus.

« Mais… chroniqueur ? questionnai-je, incertain de l'expression.

– Commentateur, on peut dire ça, aussi. J'écris pour les journaux, peut-être que tu connais mon nom ? » Il pointa de nouveau la porte et son écriteau : *P. Jørgensen.*

Je me concentrai un bon moment, sans parvenir à me rappeler le moindre article signé P. Jørgensen.

« Tu écris pour quel journal ?

– Tous ! »

Il laissa la cigarette tomber par terre, l'écrasa du talon, puis ramassa soigneusement le mégot et le glissa dans sa poche.

« Certains les laissent traîner, commenta-t-il. Pas moi. J'ai écrit un article là-dessus. »

Il saisit une nouvelle cigarette de son paquet et l'alluma.

Il était chroniqueur free-lance, expliqua-t-il. Il n'écrivait pas pour un journal en particulier, ne souhaitant pas être rattaché à l'orientation politique de telle ou telle rédaction. Il voulait conserver son indépendance de chroniqueur. Il avait refusé toutes les propositions de poste fixe.

Je n'arrivais toujours pas à me rappeler avoir lu le moindre article signé P. Jørgensen.

« Il n'y a pas toujours assez de place, dit-il, comme s'il avait lu mes pensées. Les journalistes liés à une rédaction sont très envieux. Ils essayent de se débarrasser de nous autres libres-penseurs. Parce que nous ne sommes pas à vendre. »

Ce n'était pas terrible, je l'avais compris.

Non, ça n'était pas facile. Il y avait des précédents. Parfois, ces penseurs routiniers mensualisés subtilisaient le travail des chroniqueurs libres et le cachaient à leur rédaction. Il arrivait aussi qu'ils volent leurs idées et les publient comme étant les leurs.

« Ce doit être une situation difficile, affirmai-je, compatissant, avant de changer de sujet. Tu as évidemment remarqué le tumulte la semaine dernière ? »

Il leva une main préventive. Il ne se mêlait pas des affaires des autres.

« *Live and let live*, énonça-t-il, impénétrable. J'ai assez à faire avec moi-même.

– Alors tu as bien dû lire quelque chose à ce sujet dans le journal ? »

Mais il secoua la tête. Il ne lisait pas le journal. L'avis de ces scribouillards cleptomanes à propos de telle ou telle chose ne l'intéressait pas.

« Si je veux préserver mon point de vue indépendant, inutile de me laisser influencer par les gossips. »

Il me lança un regard interrogateur, et je m'empressai d'acquiescer. Je connaissais le mot « gossip ».

« Bon, c'était sympathique, commençai-je, un pied sur le départ.

– Il est musulman, pas vrai ? demanda P. Jørgensen en levant le pouce vers l'étage supérieur. Il y a eu pas mal de ramdam.

– C'est un réveil offert par sa mère, expliquai-je. Il est vraiment désolé pour la gêne occasionnée.

– C'est son problème, déclara le chroniqueur. Je ne me mêle pas de la religion des gens. Mais leurs histoires de réincarnation, par contre, c'est des bêtises. J'ai écrit un article là-dessus, une fois. Tu l'as lu ? »

Je ne l'avais pas lu.

« Et même si je croyais en la réincarnation, ça ne changerait rien, vu que personne ne s'en souvient après. Je ne me souviens pas avoir été une chèvre dans ma vie précédente, et si je deviens une chèvre dans la prochaine, je ne crois pas non plus que cette chèvre se souviendra avoir été chroniqueur. »

Il affichait une expression triomphante.

« Non, c'est probable », admis-je en évitant de lui signaler que les musulmans n'étaient pas spécialement convaincus par la réincarnation. J'allais retenter de prendre congé, mais il m'arrêta de nouveau.

« Tu n'as pas lu ma chronique sur la démocratie et l'islam, non plus ? »

J'étais forcé de le décevoir de nouveau.

« Je ne crois pas qu'ils l'aient prise, de toute façon, ajouta-t-il, vexé. Elle était trop précise. En plein dans le mille, tu vois ?

– Tout à fait, répondis-je. On dirait bien que ça pose un petit problème, je vois ce que tu veux dire. Bon, eh bien... »

Je tentai de me glisser vers l'escalier, mais il posa une main sur mon épaule.

« Un petit problème, vraiment ? C'était sur ça que j'écrivais, je crois qu'ils ont eu peur. Démocratie, islam ? Peuvent-ils faire bon ménage ? Ou faut-il choisir entre laisser la population se faire mener par une sagesse traditionnelle immémoriale, ou continuer à parier tout le système sur une bande de gosses enthousiastes dont l'horizon vaut celui d'une période électorale ? Qu'est-ce que tu en penses ? »

Tant qu'il s'en tenait au bavardage intempestif, ça pouvait encore aller. Mais qu'est-ce que je pouvais bien répondre à ça ?

« C'est passionnant, dis-je en grimpant de quelques marches, mais je dois malheureusement...

– Tu veux pas entrer prendre un café ? m'interrompit-il en m'attrapant le bras. On pourrait discuter. Tu as des points de vue intéressants ! »

Mon téléphone sonna. J'avais rarement été aussi heureux de l'avoir.

« Pardon ! » dis-je en me dégageant pour fouiller dans ma poche.

C'était l'avocat.

Il l'avait fait ! Il avait fait libérer Mahmoud, et s'était dit que j'avais le droit de le savoir.

J'étais sur le point de lui dire quelque chose de gentil, mais à la dernière seconde, je me ressaisis. Il m'annonça aussi que ma carte de crédit personnelle fonctionnait de nouveau. Avec ce qu'il y avait sur le compte, bien entendu.

Je coupai la communication sans dire au revoir, pour qu'il ne s'imagine pas que je lui léchais les bottes.

Mahmoud allait rentrer ! Et le frigo était vide. J'avais décidé de me tenir à carreau et de traverser passivement Noël, jusqu'à la visite prévue chez mes enfants le lendemain du réveillon. Mais même si Mahmoud se tamponnait le coquillard de Noël, il y avait maintenant quelque chose à fêter.

« Je dois malheureusement y aller, dis-je vite à P. Jørgensen. J'ai des courses à faire. »

Je courus à l'étage inférieur par l'escalier. Je prendrais l'ascenseur plus bas, pour ne pas me laisser rattraper.

P. Jørgensen se pencha par-dessus la rambarde et me cria :

« Il est arrivé ! »

Je stoppai net, surpris. Mahmoud était déjà arrivé ?

« Le Palestinien, là, qui se cachait, continua-t-il. Il est arrivé il y a une demi-heure, pendant que tu étais dehors. Il n'a même pas dit bonjour, moins poli que toi. »

J'étais sur le point de remonter l'escalier en courant, mais me retins et descendis jusqu'au cinquième. De là, je pris l'ascenseur jusqu'au septième. C'était une cabine fermée, je ne vis donc pas P. Jørgensen en passant. « Le Palestinien », avait-il dit. Je savais maintenant qui avait donné ce tuyau anonyme à la police.

Je m'empressai d'ouvrir l'appartement et de rentrer.

C'était bien vrai.

Mahmoud était assis dans le salon.

Chapitre 13

Ou comment tout ne s'est pas terminé.

Il était assis dans son propre salon, un peu mal à l'aise. Il y avait à côté de lui quelques sacs plastique de vêtements. Et un sapin de Noël. Il ne devait pas faire plus de 90 centimètres de haut, mais c'était néanmoins un sapin de Noël.

« Dis-moi, commençai-je, tu t'es converti, en prison ?

– L'arbre est pour toi, répondit-il doucement. Au cas où tu serais encore là.

– Viens-là, Mahmoud ! »

J'ouvris les bras et lui donnai les trois accolades réglementaires, comme je l'avais vu faire quand il saluait l'imam de Brønshøj. Je ne sais pas si je m'étais trompé de côté, car nous manquâmes de nous cogner la tête. Ce qui eut pour effet de soulager l'ambiance, et nous rîmes un peu.

« Tu m'as manqué, bon sang ! » Je pouvais aussi bien le dire, puisque c'était vrai.

« Ils ont levé l'inculpation, dit-il en déposant les sacs dans sa chambre. Elle n'a pas tenu. »

Évidemment qu'elle n'avait pas tenu. Sérieusement, comment avaient-ils pu mettre une semaine pour s'en rendre compte ? Mahmoud ne pouvait pas me répondre. Dans ce genre d'affaires, c'est toujours l'inculpé qui en sait le moins. Mais ils l'avaient libéré, c'était le plus important.

« Ils se sont excusés ? demandai-je.

– Ils ont dit que je devrais faire plus attention la prochaine fois, répondit-il avec un rictus. Je pouvais considérer ça comme un avertissement. Ils vont me garder à l'œil. »

La situation était un peu étrange. Comme... cotonneuse. Nous ne savions pas où placer notre humour. Mahmoud était libre et rentré à la maison. De ça, nous étions heureux. Mais d'un autre côté, ça avait été un cheminement difficile,

179

au dénouement entaché de grandes injustices. Ça, il n'y avait aucune raison de s'en réjouir. J'étais sans doute plus proche de la colère que du soulagement, et Mahmoud était surtout las.

« Tu as déjà été en prison, Maurice ? » demanda-t-il. Qu'est-ce qu'il s'imaginait ? Je suis comptable, pas avocat.

Je décidai de m'en tenir pour l'heure au pratique. Avant son arrivée, j'étais sur le point d'aller faire des courses pour le repas du soir. Il y avait de l'écho dans le frigo.

« On a beaucoup de choses à se raconter à ce sujet, Mahmoud. Mais ce soir, c'est Noël, et les dernières boutiques vont bientôt fermer. Tu ne crois pas que je devrais vite aller faire quelques emplettes, avant qu'il ne soit trop tard ? »

Il secoua la tête. Il avait besoin d'en parler. Tout de suite. Le reste devrait attendre. On pourrait toujours trouver quelque chose plus tard, dans le pire des cas on pouvait entrer par-derrière chez l'épicier du coin.

Je m'assis à la table, et il commença à préparer du café. Comme lors de la première nuit que j'avais passée ici. Il s'était réjoui d'avance de ce moment.

« Il y a une nouvelle sorte de café ! » s'écria-t-il, surpris.

Sans rire ? Même s'il avait été en prison, j'avais dû survivre en attendant, et ça n'aurait pas été possible avec son Arabica 150 % la-cuiller-tient-droite.

« L'habituel est rangé dans le placard, dis-je. Je vais prendre de celui-là aussi, si tu fais chauffer assez d'eau. »

Il se mit à l'ouvrage, et parut déjà plus enjoué.

« Ton iPhone est sur le frigo », ajoutai-je. Je savais qu'il allait bientôt me le demander. Je crois d'ailleurs que je vais laisser tomber le Nokia. Durant la semaine de son absence, j'avais étudié l'iPhone de Mahmoud et n'étais pas loin de me laisser séduire par un smartphone. Entre autres pour les bien-nommées applications, très pratiques. J'avais même osé mettre en marche son iPray – à faible volume et sous un coussin – assez incroyable ! Je le lui racontai, et il sembla fier d'avoir répandu sa foi. En l'iPhone, hein. Doucement.

Je le voyais hésiter sur le dosage, et il finit par vider le pot de café dans la cafetière.

« C'est l'avocat de ta femme qui m'a fait sortir, racontat-il. J'en déduis que c'est réglé, avec Cathrine ?

– J'ai fait un deal avec l'avocat, répondis-je. S'il te faisait sortir, j'acceptais les conditions.

– C'est un bon deal ? »

Je haussai les épaules.

« On s'est mis d'accord sur un partage cinquante-cinquante, expliquai-je. Une moitié pour elle, l'autre pour son avocat. »

Mahmoud ne put s'empêcher de rire. Puis il posa la cafetière et s'assit à côté de moi. Il ne pouvait plus attendre.

« Je n'ai pratiquement pensé qu'à elle, Maurice. C'était ma faute. Je ne sais pas ce que je dois faire. On a mis un sacré bazar dans sa vie. »

Je gardai le silence.

« Elle a demandé après moi ? » Il me fixait droit dans les yeux, attentif.

Je me taisais encore. Qu'est-ce que je pouvais dire ? Elle n'avait pas vraiment demandé quoi que ce soit à son sujet, et je ne voulais pas mentionner ses tentatives pitoyables et ratées de faire de l'humour.

« J'ai pris l'habitude de mettre un de tes disques de temps en temps, finis-je par dire, pour botter en touche. Elle descend direct se plaindre du bruit.

– Elle fait quoi ? demanda-t-il, stupéfait.

– Elle se plaint du bruit, répétai-je. À chaque fois ! Mais uniquement quand j'écoute un disque.

– Elle entend à peine la musique… Je n'y crois pas, dit-il, pensif. C'est seulement quand j'ai reçu le réveil qu'elle a commencé à se plaindre. »

Je haussai les épaules.

« En tout cas, ça ne rate jamais. À croire qu'elle n'aime pas la musique.

– Tu disais que le frigo était vide ? » demanda-t-il soudain.

Oui, c'était justement pour ça que j'avais l'intention d'aller faire les courses.

« Alors vas-y, dit-il. Tu avais raison. Tu es l'aîné, je n'y avais pas pensé.

– Mais je croyais que tu voulais discuter ? » demandai-je, confus.

Il acquiesça. Il voulait en parler, mais j'avais évidemment raison de vouloir aller faire des courses avant que les boutiques ne ferment. Il le voyait bien, maintenant.

« Tu ne voulais pas aller chez l'épicier en passant par-derrière ?

– Il n'a pas de pizza. J'ai tellement envie de pizza. Je n'ai pensé quasiment qu'à ça, en prison. »

C'était nouveau, ça. Mais c'était tout à fait acceptable, et je me mis en route pour aller chercher des pizzas.

Heureusement, l'ascenseur était toujours au septième, car quand je passai le seuil, j'entendis une autre porte s'ouvrir un étage plus bas et une voix d'homme dire : « Y a quelqu'un ? »

Je m'empressai d'appuyer sur le bouton « rez-de-chaussée » et commençai à descendre.

Ici, c'est à nouveau la mémoire de Mahmoud qui guide ma plume. Ou tape sur les touches de mon clavier, si l'on veut. Parce que ce qui est arrivé en mon absence, je ne peux en faire un récit de première main, bien sûr. Mais je l'écris comme si je l'avais vécu. Nous avons déjà tenté ce procédé, et je ne peux pas avoir de meilleure source que Mahmoud. En lisant ce qui va suivre, je trouve d'ailleurs qu'on peut tirer un chapeau imaginaire à l'honnêteté du jeune homme. Au fond, il est très pudique, mais il a apparemment pensé que j'avais le droit de connaître toute l'histoire. Et je n'abuse pas de sa confiance, il sait que j'écris tout ceci.

À peine avais-je pris l'ascenseur que Mahmoud fonçait sur la porte d'entrée et l'ouvrait en grand. Il avait donc entendu l'appel répété depuis l'étage inférieur, et s'était alors penché par-dessus la balustrade et avait dit quelque chose en arabe. Il n'y eut plus d'appel, seulement le claquement d'une porte indiquant P. Jørgensen.

Mahmoud laissa la sienne ouverte, puis retourna dans l'appartement et mit un disque sur la platine. Il s'assit ensuite et attendit.

And when two lovers woo
They still say, « I love you. »
On that you can rely.
No matter what the future brings
As time goes by.

Il n'attendait pas patiemment. Il trépignait sur place en lançant des regards furtifs vers l'entrée. Au bout d'un petit moment, n'en pouvant plus, il se leva et monta le volume d'un cran. Un bon gros cran, en fait.

Moonlight and love songs
Never out of date.
Hearts full of passion
Jealousy and hate.
Woman needs man
And man must have his mate
That no one can deny.

Ça mordait ! Il détacha son regard de la porte et s'accouda nonchalamment sur la table. Son coude tomba pile dans la tasse de café, et il se retrouva avec une manche détrempée au milieu d'une mare de café, faisant semblant de rien.

Il l'entendait dans l'escalier.

« Y en a marre, Maurice ! hurla-t-elle de l'extérieur. Et en plus tu laisses la porte ouverte, mec ! T'es totalement fada, ou est-ce que... »

Elle déboula dans le salon et s'interrompit brusquement en voyant Mahmoud. Après un moment de silence, elle dit :

« … j'avais arrêté de dire fada.

– Salut », répondit Mahmoud. Sur l'instant, c'était la plus longue phrase qu'il avait pu prononcer.

« Tu as la manche mouillée », signala-t-elle.

Il hocha la tête.

« Je vais arrêter la musique maintenant. » Et c'est ce qu'il fit.

Ils se tenaient chacun de son côté du salon. Elle près de la porte, lui vers la table de la cuisine.

« Merci, dit-elle alors. C'était vraiment pénible. »

Puis elle fit volte-face pour repartir.

« Lærke ! Attends, cria-t-il, au désespoir. Reste, et je te promets de ne plus jamais mettre de disque ! »

Elle resta. S'adossa au montant de la porte, les bras croisés. Mahmoud passa devant elle et alla fermer la porte de l'entrée. Puis il revint, et ils se tinrent face à face.

Elle attendait, et lui essayait de prendre son courage à deux mains.

Cela dura un certain temps.

Et puis ce fut là. Mahmoud inspira profondément, la regarda droit dans les yeux. Et enfin, il dit :

« Tu aimes la pizza ? »

Elle ne put retenir un sourire en coin.

« Tu vas droit à l'essentiel, toi, hein ?

– Oui ou non ?

– Pas celles au jambon. »

Elle ne risquait pas grand-chose à le lui expliquer.

« Moi non plus ! dit Mahmoud. On a beaucoup de points communs… Là-dessus, en tout cas. On s'assoit ?

– Non », répondit-elle simplement. Ils étaient tout près du canapé, aussi alla-t-elle s'adosser au frigo à la place.

« Tant mieux, je n'avais aucune envie de m'asseoir », dit-il en la rejoignant. Ils se tenaient maintenant de chaque côté du frigo. Une situation difficile, quand on a l'intention de dire ce que Mahmoud avait l'intention de dire.

« Je vais le dire vite, ce sera fait, commença-t-il. Je suis très, très triste d'être responsable du fait que tes parents ont découvert que tu étais... que tu es... Enfin, ton secret. Et j'aimerais arranger ça.

– Ah bon ? demanda-t-elle, intéressée. Comment ?

– ... C'était de ça que je voulais parler avec toi. »

Il s'embrouillait tout seul, et elle ne l'aidait malheureusement pas.

« En fait, tu veux que *moi* j'arrange tout, constata-t-elle. C'est ça ?

– Non ! protesta-t-il.

– Tu pourrais pas juste en avoir rien à carrer ? »

Il secoua la tête, un peu las.

« J'ai essayé, mais non. Je peux pas en avoir rien à carrer », dit-il doucement.

Elle ne répondit pas. Mais ne partit pas non plus.

Alors qu'ils se trouvaient là, de part et d'autre du frigo, Mahmoud était pleinement conscient que c'était le moment fatidique. Là, maintenant.

« Lærke, commença-t-il, et elle le laissa accrocher son regard. Je suis pas doué pour ce genre de choses. Je suis maladroit, et il n'y a rien à faire pour ça... Mais je ne peux pas continuer ma vie, si je n'exprime pas... »

C'était ma faute.

Lærke croyait évidemment que c'était encore Mahmoud qui avait fait l'imbécile, mais ce n'était pas le cas. C'était moi qui avais tripoté l'iPhone, et même si je pensais avoir coupé cette stupide application, iPray, je ne savais pas qu'elle continuait à marcher en arrière-plan.

Et c'était moi qui avais posé l'iPhone sur le frigo.

Ainsi, alors que Mahmoud se débattait avec ce qu'il y a de plus précieux dans la vie, iPray démarra à plein volume pour la 912e fois. Totalement affolé, il se jeta sur l'appareil, mais ses mains tremblaient tellement qu'il ne put l'arrêter de façon basique. Il finit donc par le jeter dans le frigo.

Lærke le fixait, la bouche ouverte.

L'appel à la prière n'avait pas disparu, il était simplement différent. Le frigo presque vide faisait résonner les sons, façon annonceur de fête foraine.

Mahmoud le ressortit et s'en débarrassa de façon plus radicale. Je l'ai déjà mentionné, il y avait un broyeur à ordures qui traînait.

Le sort était brisé, s'il y en avait jamais eu un. Il alla s'effondrer dans le canapé et cacha son visage derrière ses mains.

Et pourtant, quelque chose s'était passé.

Lærke riait.

Et elle n'était pas partie.

« Ils ont aimé ce truc, en prison ? demanda-t-elle, la voix rieuse.

– J'étais en isolement, marmonna-t-il derrière ses mains.

– Tiens, c'est pas con, ça. »

Puis Lærke arrêta de sourire. Elle venait de se rendre compte de ce qu'il avait dit.

« Ils t'ont enfermé tout seul ? questionna-t-elle, d'un ton différent. Les enfoirés ! »

Mahmoud hocha la tête, et il devina qu'elle s'approchait de quelques pas.

« C'est vraiment dégueulasse ! » lança-t-elle.

Il écarta légèrement les doigts qu'il avait toujours collés sur le visage et la regarda furtivement.

« Ça a été dur pour moi, Lærke, dit-il d'une toute petite voix. J'étais très seul. »

Elle s'assit sur le canapé à côté de lui et posa une main sur son épaule.

Il écarta lentement les mains de son visage et se tourna vers elle.

« Tu veux de la pizza ? »

Lærke était muette. Mais restait là où elle était.

« On n'a qu'à fêter Noël ? proposa-t-il.

– Un Noël judéo-musulman ? dit-elle en haussant les sourcils. Et on chante des psaumes ?

– On pourra se contenter de "Vive le vent" ! »

C'est ce que je dis, ce garçon ne tombe jamais à court d'arguments.

Elle hésita.

« Et l'autre alors, Maurice ? demanda-t-elle.

– Il est allé chercher les pizzas, lança-t-il, revenant à lui. Je vais l'appeler pour dire qu'il en faut trois. »

Il se leva d'un bond, mais s'arrêta net devant le broyeur à ordures.

Lærke éclata de rire. Encore !

« O.K., dit-elle. Des pizzas, ça me va. On n'aura qu'à partager les deux. »

Mahmoud se retourna, rayonnant. Ils allaient passer la soirée ensemble !

Mais il fallait tirer certaines choses au clair, ça avait été compliqué pour Lærke.

« Et tes parents ? demanda-t-il. Tu leur as dit ?

– Dit quoi ? »

Oh, non. Il ne voulait surtout pas mettre de mot dessus. Il se rendait compte que tout indiquait que j'avais raison, qu'elle avait un métier qu'il lui serait difficile d'accepter. Mais durant la longue semaine qui venait de passer, il avait décidé que c'était là que ça devrait commencer, et qu'il l'aiderait, lentement mais sûrement, à s'en sortir. C'est typiquement le genre de trucs que font les gens amoureux, trouvait-il, et il était persuadé d'en être capable.

Ce n'était pas un petit détail. Pour une personne avec les origines de Mahmoud, autant avaler un chameau.

On dit que l'amour rend aveugle. En tout cas, ça s'est déjà vu. Mais il faut un amour mûr et solide pour accepter quelque chose d'inacceptable avec les yeux ouverts. Est-ce que la simple tendresse suffirait ? Difficile à dire.

« Oui, tu as expliqué à tes parents... bégaya-t-il courageusement, comment les choses sont ? Que tu... comment tu... tu as dit que... le secret !

– Je peux pas faire ça, répondit-elle. Papa n'accepterait jamais. Ça va contre tout ce en quoi il croit. »

Il ne put s'empêcher de ressentir un petit choc. S'était-il, contre toute attente, fait de faux espoirs ? Peut-être.

« Ça veut dire que tu es vraiment... » Pas moyen de prononcer le mot. Il prit une profonde inspiration. « J'ai décidé que ça n'avait pas d'importance, mais... et l'argent, alors ? Les 100 000 de ton père ? »

Elle haussa les épaules. « En général, j'arrive à prendre quelques gardes supplémentaires juste après les vacances. »

Il détourna brusquement la tête. C'était plus difficile que prévu. Il se racla la gorge et s'efforça d'en parler d'un ton détaché, comme elle semblait le faire naturellement. Foutue tolérance dans ce pays, aussi !

Avant d'être mis en prison, il avait fait des recherches sur elle sur le Net. Et quelle que soit sa profession actuelle, elle avait effectivement une formation de kinésithérapeute. École de kinésithérapie de Skodsborg, promo 2003. Il avait même trouvé une photo. À l'époque, elle portait une queue-de-cheval.

« En tout cas, tu es kinésithérapeute, lança-t-il en essayant d'avoir l'air optimiste. Ça, je le sais ! »

Elle lui adressa un regard surpris.

« Évidemment que je suis kinésithérapeute.

– Oui, et puis ça doit très utile, quand on doit... enfin, on connaît bien le corps humain, on sait comment... »

Il ne pouvait pas aller plus loin, et se recroquevilla sur lui-même. C'était très, très difficile !

« C'est quoi le problème ? demanda-t-elle. Je bosse à l'hôpital de Herlev.

– À l'hôpital ? dit-il en ouvrant grand les yeux. Et ils parlent de réductions de budget !

– Carrément, ça n'arrête pas ! s'énerva-t-elle. On bosse comme des malades ! »

Cette fois, il se mordit la main, et fut incapable de retenir un gémissement.

Elle s'approcha et posa son bras autour de ses épaules.

« Arrête un peu, mon gars, dit-elle, inquiète. Où est le problème ? On n'est que cinq kinés permanents, c'est pas assez pour s'occuper de tous ces dos. »

L'activité cérébrale de Mahmoud fit une petite pause.

« Dos ?

– Oui, bon sang ! T'as cru que j'étais pédicure, ou quoi ? dit-elle en le secouant un peu. Les gens ne sont pas foutus de soulever quoi que ce soit comme il faut. Les douleurs de dos, ça te dit rien ? »

Bien sûr que si.

« À l'hôpital de Herlev ? demanda-t-il avec un espoir grandissant. Un boulot quotidien, tout à fait normal ? De huit à seize ?

– Il vaut mieux, sinon je me fais virer, non ? »

Elle relâcha un peu son emprise.

« Qu'est-ce qui t'arrive ?

– Pourquoi tu ne peux pas raconter ça à ton père ? »

Il voulait être absolument sûr avant de se laisser aller au soulagement.

« Mais je peux lui dire, ça ! répondit-elle. Le problème, c'est les 100 000 couronnes qu'il m'a passées. Je ne peux pas lui dire à quoi ça a servi. »

Il était si soulagé qu'il était incapable de mettre des mots dessus. Il y a apparemment des choses qui importent même quand on a décidé qu'elles n'importaient pas.

« Mais je peux te le dire à toi, reprit-elle. J'ai une amie, elle s'appelle Andrea, qui travaille aussi à Herlev. Elle est très intéressée par la politique, s'engage pour plein de trucs, et moi aussi j'avais envie… »

C'était précisément le moment où je n'aurais pas dû passer

la porte, mais je le fis quand même. Et je refuse d'endosser la moindre responsabilité à ce sujet. Je n'avais aucun moyen de savoir ce qui se passait ou se disait.

J'ouvris innocemment la porte d'entrée, heureux d'avoir traversé la zone à risque sans croiser P. Jørgensen.

« Je retourne chercher les pizzas dans une demi-heure. Il y avait du monde. »

Puis j'entrai dans le salon, et me tus. Lærke fit de même.

« Lærke va manger avec nous », annonça Mahmoud, aux anges.

Y avait-il une réponse particulière à donner ? Je n'en savais rien, aussi me contentai-je d'un rapide hochement de tête.

« Il a demandé, et j'ai dit oui, expliqua Lærke, qui savait lire les expressions faciales. Et aucun de nous n'a voulu faire d'humour. Au cas où tu voudrais le savoir.

– On va fêter Noël tous ensemble, sourit Mahmoud, béat.

– De nous trois, en fait, il n'y a que moi qui fête Noël… Non ? »

J'étais bien obligé de le signaler.

« Si, admit-il. Mais on veut bien t'assister. »

Lærke se leva et courut vers l'entrée. Elle avait laissé la télé allumée, et voulait monter l'éteindre. Et se changer, tant qu'à faire.

Pas bête du tout, comme idée. C'est incroyable ce que les jeunes filles peuvent mettre en privé.

« J'ai toujours ma cravate ! » cria Mahmoud après elle. Il voulut filer dans la chambre la trouver, mais je posai ma main sur son épaule, jusqu'à ce que j'entende la porte se refermer derrière Lærke.

Alors, je le dis.

Chapitre 14

En... fin.

Je ne suis pas ici sur terre pour éteindre les flammes dans le regard des gens, mais il me semblait que je devais ça à Mahmoud. Je devais lui raconter quelque chose qu'il ne savait apparemment pas. Ou qu'il n'avait pas envie de savoir.

« Est-ce que tu es sûr que c'est une bonne idée ? dis-je en le regardant droit dans les yeux, et il soutint mon regard.

– Oui, Maurice, oui ! Elle est kinésithérapeute. C'est tout ! À Herlev. Chaque jour. C'est seulement une histoire de dos !

– Aha, fis-je en hochant lentement la tête. Et les clients restent sur le ventre ? »

Il se libéra et s'éloigna.

« Mahmoud, insistai-je. Il faut qu'on en parle. Je ne supporte pas de la voir te prendre pour un con. Elle n'est pas honnête !

– Elle *est* kiné ! »

Il me regarda, presque avec colère. Comme je le comprenais.

« Elle n'habite pas toute seule, là-haut ! »

Voilà, c'était dit, et il devrait agir en conséquence. Ce qu'il fit.

« Si, elle est seule ! J'ai checké sur le Net et dans l'annuaire. Il n'y a que son numéro de téléphone, à cette adresse. »

Il y avait donc déjà pensé. Et n'avait pas voulu en parler.

« On entend des pas là-haut, de temps en temps, repris-je. Quand elle est absente. Ou le bruit d'une chaise déplacée ! »

Il secoua la tête. Dans ces constructions en béton, on ne peut pas savoir d'où viennent les sons.

Mais je continuai sur ma lancée.

« Tu l'as entendu toi-même, mon gars ! Le soir où ses parents étaient là. Elle était avec nous, ici ! On a entendu des pas au-dessus, oui ou non ? »

Il hésita, mais finit par acquiescer, confus.

« Enfin, si ça venait *effectivement* d'en haut... » marmonna-t-il.

Je sentais qu'il était en train de relier les points entre eux.

« Et qui est-ce qui a descendu les escaliers ce soir-là ? insistai-je. On a vu des chaussures d'homme à travers la boîte aux lettres. »

Il freina des quatre fers, et je sentis que je ne pourrais plus le faire bouger d'un pouce.

« Je suis content qu'elle soit là ce soir ! dit-il fermement en me regardant droit dans les yeux. Alors laisse-moi me réjouir. Arrête d'essayer de me sauver ! Oublie ça, c'est Noël ! »

Il se libéra, s'éloigna et ne voulut plus rien entendre.

Il voulait décorer pour Noël, et s'il fallait réfléchir à quelque chose, ce serait plus tard.

Les guirlandes étaient toujours dans les placards, et nous avions un sapin.

« Mais je n'ai pas de décorations pour l'arbre », soupira-t-il, chagriné. Et de ce côté-là, l'épicier du coin ne pouvait sans doute pas nous aider.

Je laissai filer. Il n'y avait rien de plus que je puisse faire, alors autant se concentrer sur le réveillon. Et qui étais-je, d'abord ? Quand on travaillait, j'étais son chef, mais j'habitais chez lui le temps de retrouver un logement, ce qui ne tarderait pas. Ce n'étaient pas mes oignons.

Je commençai à fixer les guirlandes, et Mahmoud chercha un moyen de décorer l'arbre. Un moment plus tard, nous avions un très joli sapin de Noël, équipé de pied en cap avec la majorité de la vaisselle disponible, couteaux, fourchettes et petites cuillers. Il avait également récupéré les restes de l'iPhone dans le broyeur à ordures et tentait de les assembler pour faire une étoile.

Mahmoud était allé écouter à la porte deux ou trois fois. Il trouvait que l'absence de Lærke durait. Avait-elle changé d'avis ? Allait-elle bientôt arriver ?

Ce fut le cas.

Nous l'entendîmes dévaler les escaliers. On aurait dit qu'elle prenait les marches quatre par quatre. La porte étant ouverte, elle débarqua directement dans le salon. Légère comme une plume et épanouie comme je ne l'avais jamais vue auparavant. J'en fus presque secoué, et pris conscience d'une particularité qu'on retrouve souvent chez les femmes : elles sont charmantes.

Ça m'était plus ou moins sorti de la tête, mais à cet instant, c'était incontestable : Lærke était charmante. Oui, pour tout dire, elle rayonnait de charme ! Et en plus, elle était superbe, oui.

Heureusement, je retrouvai vite mon cynisme et mis son charme sur le compte d'une simple déformation professionnelle.

« J'ai eu des cadeaux de Noël ! jubila-t-elle. Deux, même ! J'ai reçu deux cadeaux ! De la part de mon père ! »

J'étais toujours un peu remué, aussi me contentai-je de signaler qu'à ma connaissance, les juifs ne se faisaient pas de cadeaux de Noël.

Ce n'était effectivement pas le cas, dit-elle. Ils avaient leur Hanoucca. Mais son père venait de l'appeler. À l'instant, alors qu'elle se changeait. C'était la première fois qu'ils se parlaient depuis la funeste soirée. Il avait jusqu'alors refusé de lui adresser la parole, mais son épouse avait passé la majorité de la semaine à pleurer, et il avait fini par se radoucir. Il venait d'appeler sa fille, pour tirer un trait sur les 100 000 couronnes !

Elle nous adressa des sourires enchantés.

« Il est pas gentil ? »

Je marmonnai que c'était exactement l'impression qu'il m'avait laissée. Absolument adorable…

Mais quel était l'autre cadeau, alors ? Elle en avait mentionné deux. L'autre venait-il de son père aussi ?

« Oui ! confirma-t-elle, avant de s'asseoir sur un coussin marocain, les bras autour des jambes. C'est presque le meilleur : il ne veut pas savoir à quoi a servi l'argent !

– Il a servi à quoi, l'argent ? »

J'étais un peu forcé de demander. Sinon, tout dialogue aurait été illusoire.

Mais ma question ne fit pas l'unanimité. Mahmoud se tut totalement, et Lærke me fixa sans comprendre.

« C'est quoi son problème ? » demanda-t-elle à Mahmoud, qui regarda ailleurs.

Il lui fallait deviner toute seule.

« O.K., dit-elle, je n'aurais pas dû vous dire de ne pas mettre de disque. Mettez tous les disques que vous voulez, je ne les entends presque pas, de toute façon. j

– Pourquoi est-ce que tu descendais toujours te plaindre, alors ? »

J'en avais assez des mensonges, demi-vérités et réponses cryptées.

« Pourquoi ?

– C'est pas vrai, t'es fa... tu comprends pas vite, hein ? Chaque fois que tu écoutais de la musique, je croyais que c'était lui qui était enfin revenu ! »

Elle se tourna vers Mahmoud et lui annonça, résignée – presque à contrecœur : « Voilà, maintenant tu sais ça, mon pote. »

Mahmoud leva la tête et me lança un regard triomphant. Il n'avait même pas besoin de dire : « Quelque chose à ajouter, Maurice ? » Le regard suffisait.

Que pouvais-je dire ? Ça n'éclaircissait pas beaucoup de mystères, mais ça expliquait comportement et attitude.

« Excuse-moi, Lærke, dis-je. J'aimerais juste dire pardon.

– Alors fais-le ! répondit-elle en se tournant vers moi.

– Mahmoud ! » fit une voix dans l'entrée.

Nous échangeâmes des regards. Nous connaissions cette voix, elle ne pouvait venir que d'un endroit : Brønshøj. En fait, mon opinion sur l'imam s'était passablement adoucie. La soirée ici avait été terrible pour lui, et je ne sais pas s'il avait osé aborder le sujet avec quiconque, une fois rentré chez lui. J'en doute.

Mais de mon côté, ça l'avait fait passer du statut de caricature à celui d'humain. Avec des faiblesses humaines. L'imam était en fait un gros nounours chaleureux, qui au cours de la semaine précédente était passé plusieurs fois à l'appartement demander après Mahmoud. Je fus donc content de le voir. Même si ça voulait dire qu'il nous fallait plus de pizzas.

« La porte grande ouverte, fit Khalid Yasin depuis l'entrée, en enlevant ses chaussures, donc je juste rentre tout droit. » Il entra dans le salon, les bras écartés.

« Mahmoud ! fit-il encore. Je viens pour faire visite, comme tu n'es plus dans cette taule, alors je viens pour le dire bravo ! »

Mahmoud remercia. C'était sincère, mais je sentais qu'il aurait préféré recevoir cette visite à un autre moment. L'imam ne sentait rien, lui.

« Je devrais amener à toi un cadeau de bon retour, mais alors je pense : oh, non, attends ! Il y a soldes en janvier ! »

Il éclata de rire en donnant une tape sur l'épaule de Mahmoud. Puis il remarqua Lærke et se fit immédiatement silencieux.

« Bonsoir, Khalid Yasin, dit-elle froidement en le fixant.

– Ah, pardon, s'empressa de dire l'imam. Je n'avais pas su que… Pardon, je viens sur le mauvais moment, alors hop je pars encore.

– Oh, mais non, je t'en prie, lança-t-elle, reste là ! »

Voilà qui semblait gentil de la part de la jeune fille, mais le ton qu'elle avait choisi n'était pas aimable. Pas du tout.

« Si, protesta-t-il. Mauvais moment. Alors je rentre maintenant à Brønshøj tout de suite. En bus !

– Tu ne bouges pas de là ! »

Nous autres ne comprenions rien à la situation, mais Mahmoud se sentit obligé de dire que si Khalid Yasin avait envie de rentrer, il n'était pas obligé de rester.

« Oui, hein ? » Khalid Yasin tenta de passer devant elle, mais elle lui saisit le bras et le retint fermement.

« Chez moi, commença-t-elle. Je suis sûre que tu sais où c'est, pas vrai ? »

L'imam évita son regard, mais sans bouger pour autant.

« Chez moi, reprit-elle, il y a la copie d'une déclaration que j'ai faite. Cette déclaration est adressée à un avocat qui s'en est servi pour sortir Mahmoud de prison. »

Ce dernier et moi échangeâmes un regard furtif. Que se passait-il ?

« Dans cette déclaration, il manque un nom, parce que j'ai dit que je ne m'en souvenais pas. Je l'ai fait pour Mahmoud. Et si ce nom me revenait, d'un coup ? »

L'imam ne bougeait pas, désemparé. Idem pour nous autres.

Lærke poussa du pied un coussin marocain jusqu'au milieu de la pièce.

« Assieds-toi, mon gros ! » ordonna-t-elle.

L'imam lui lança un regard suppliant.

« Je dis pardon, je refais les choses bien, oui…

– Assieds-toi ! »

Le bonhomme obéit, et baissa les yeux.

« O.K., dit Lærke. Je n'ai pas l'intention de ruiner la soirée, mais autant se sortir cette épine du pied, d'accord ? »

Nous échangions toujours des regards troublés.

« Mahmoud, dit-elle, toi qui parles tout le temps d'honnêteté, écoute donc ça ! »

Elle se tourna vers l'imam.

« Les 100 000 couronnes que tu as empochées, tu as l'intention d'en faire quoi ? Hein ?

– Quoi ? » glapit Mahmoud.

À ce stade, je dois admettre que Mahmoud et moi n'étions

plus que des figurants. Lærke mena un interrogatoire en bonne et due forme. Elle faisait un procureur aussi dur à cuire que dans la plupart des séries télé. Nous autres étions relégués au rang de public taiseux. Pas même témoins.

« Je l'ai payé, je l'ai payé ! gémit Khalid Yasin.

– Ah bon ? répliqua-t-elle, les mains sur les hanches. À qui ? Où est cet argent, maintenant ? »

Nous n'arrivions pas à en croire nos oreilles.

« Tu as donné 100 000 couronnes à l'imam ? demanda Mahmoud, incrédule.

– Mahmoud, je mène le jeu pour l'instant, coupa-t-elle. Ensuite, tu feras ce que tu voudras. Écoute !

– C'est pas vrai tout à fait, tenta l'imam. Mais maintenant je me suis mêlé, je devrais le pas faire.

– Tu as reçu 100 000 balles, oui ou non ? »

Nous regardions tous l'imam, la mine misérable sur son coussin marocain. Son regard vacilla.

« Si, dit-il enfin, avant de se corriger. Enfin, oui ! C'est dur cette langue, il faut dire oui ou si ? Je ne jamais sais…

– Il les a eues ! coupa Lærke. Bien, maintenant je vous fais toute l'histoire.

– Je ne dérange pas alors, alors je rentre chez moi, alors… » L'imam essaya de se lever, mais elle le repoussa immédiatement sur le coussin.

« Alors que dalle, tu bouges pas ! » Il ne bougea plus. « Donc, j'ai une amie, Andrea, elle est kiné aussi. Elle et moi, on est des nanas plutôt actuelles, on lit les journaux. Vu les actualités, on reste pas les mains dans les poches. Donc on fait partie d'Amnesty et Greenpeace et ce genre de trucs.

– Politiquement correct ? ne pus-je m'empêcher de glisser, sarcastique, récoltant immédiatement un regard foudroyant.

– Plutôt ça que l'inverse, monsieur le comptable ! Il y a foule de ce côté-là. »

Elle se détourna de moi et reprit le fil.

« Bref, il n'y a rien qui cloche chez nous, on est juste

pas capables de n'en avoir rien à secouer. On n'est pas du tout tendance ! Andrea m'a fait adhérer à l'union Danois-Palestiniens… »

Cette fois, ce n'était pas une remarque en l'air, j'étais réellement stupéfait.

« Et tu viens d'une famille juive… eus-je le temps de dire, avant qu'elle ne se retourne vivement dans ma direction.

– Oui. Et donc ? » J'écartais les bras. Et rien.

L'imam tenta sa chance une fois de plus.

« Je le trouve très beau, que deux jeunes filles danoises…

– Tu la boucles, j'en arrive à ton cas, coupa Lærke. Bon, on se présente à un meeting. Devinez qui vient nous coller ? La bombe calorique que voici !

– Non, non, pas de bombe, protesta l'accusé, indigné. C'est une réunion paisible de l'union…

– Il se pointe en traînant un jeune Palestinien…

– Abdel Aziz al-Rantissi ! acquiesça vivement l'imam. Lui est très malheureux, mais s'il reçoit l'asile, peut-être il est heureux encore !

– L'imam nous annonce qu'il peut procurer à l'homme un droit d'asile… »

Elle s'approcha de Khalid Yasin et lui saisit fermement l'épaule d'une main, tout en comptant sur ses doigts de l'autre :

« Seulement s'il, un, trouve un travail, deux, se marie avec une Danoise, et trois, paye une caution de 100 000 couronnes à l'État.

– Tu es mariée avec lui ? demanda Mahmoud, crispé.

– Non, Andrea est mariée avec lui. J'ai fourni les 100 000.

– Et merci, je le dis ! lança l'imam.

– Ce n'est plus 100 000, me sentis-je obligé d'indiquer. On a un nouveau gouvernement, donc une nouvelle réglementation.

– Oui, répondit Lærke d'un ton âpre, mais la population n'a pas changé, donc c'est encore 50 000.

– 50 000 c'est pas aussi beaucoup ! » fit l'imam, un brin d'espoir dans la voix.

Elle lui colla une tape sur la tête. Oui, vraiment ! Et il n'avait d'autre choix que de s'y faire.

« C'était 100 000 quand tu les as eus », grinça-t-elle.

Il y avait quand même quelque chose que je ne comprenais pas. « Si c'est Andrea qui est mariée au Palestinien, pourquoi est-ce qu'il n'habite pas chez elle ? »

Lærke soupira, résignée.

« Il habitait chez elle, au début. C'était juste un mariage de façade, je ne suis même pas sûre qu'ils aient partagé une glace. Ensuite cet idiot a été viré de son travail. Un de ces endroits où on attend des employés qu'ils se pointent à leur poste. Et les services de l'Immigration n'ont pas cru à leur mariage. Il a donc reçu un avis d'expulsion. »

L'imam commençait à remuer sur son coussin, inquiet.

« Quand ils ont voulu le mettre dans un avion, reprit-elle, il avait disparu.

– Et il est venu chez toi ? » demandai-je. Mahmoud suivait l'interrogatoire avec attention, les yeux écarquillés.

Lærke acquiesça.

« L'imam l'a traîné jusqu'ici. »

Le concerné hocha vivement la tête – voilà qui prouvait toute son innocence, avait-il l'air de dire.

« Abdel Aziz connaît pas le chemin lui-même, alors j'aide en venant, pour aider...

– Il avait toujours les 100 000 ? » Lærke semblait tolérer que je pose des questions.

Elle fit un pas en arrière.

« Demande à la tartine géante ici présente !

– Tartine ? » L'imam jeta un rapide regard circulaire. Mais Lærke reprit.

« J'avais donné l'argent à l'imam. Mais tiens donc ! Ce gentil bonhomme ne s'est jamais décidé à payer cette prétendue caution ! »

Mahmoud intervint.

« Mais alors, tu les as encore ! Pas vrai, Khalid ? demanda-t-il avec une lueur d'espoir, immédiatement éteinte par la jeune femme.

– Il les a expédiés à l'étranger, expliqua-t-elle. L'autre type avait apparemment une femme et quatre enfants en Palestine.

– Une famille ? » Mahmoud était déstabilisé. « Comment est-ce qu'il pouvait se marier avec Andrea, alors ?

– Tu poses vraiment la question ? soupira-t-elle. Même moi je sais qu'il existe des règles musulmanes sur le comportement à adopter avec les conjoints. Mais a priori, il n'y a aucune règle indiquant qu'on doit les compter ! »

Mahmoud s'affaissa. Je trouvais injuste de la part de Lærke de se retourner contre lui. Il ne pourrait jamais accepter l'idée d'avoir plusieurs femmes. Il avait déjà beaucoup de mal à en avoir une seule.

Mais ce qui importait pour le moment, c'était d'aller au fond du sujet. Il me restait des points à éclaircir.

« Pourquoi tu ne l'as pas mis à la porte, ce Abdel Aziz ? »

Lærke se figea un instant. Mais elle était loin de se dégonfler.

« Ben oui, tiens, pourquoi est-ce que je n'ai pas fait ça ? » Elle se tourna vers Khalid Yasin. « Tu lui expliques, mon gars ?

– Mais je ne le sais pas... répondit l'imam en cherchant ses mots. Peut-être tu trouves triste pour lui... et il est malheureux, et tu veux aider... gentille...

– Et on remercie tous Brønshøj ! l'interrompit-elle. Serviable, l'imam, hein ? Et doué pour m'expliquer qu'à partir du moment où Abdullah Truc, ou quel que soit son putain de nom, a dormi ne serait-ce qu'une nuit sur mon canapé, j'ai participé à quelque chose d'illégal.

– Non, *tout petit* illégal ! essaya Khalid Yasin en geignant. Je disais cette fois juste tout petit illégal.

– Si mon père apprenait un jour que je planquais un Palestinien clandestin, il exploserait, ma famille couperait les ponts avec moi ! Et l'imam continuait de jurer que c'était juuuuste pour quelques jours encore…

– Oui… » acquiesça ce dernier. L'innocence incarnée.

« Cette tête de nœud serait encore chez moi, s'il n'y avait pas eu tout ce bazar. »

Elle nous tourna brusquement le dos et alla à la fenêtre. Sa voix était-elle vraiment sur le point de se briser ?

Mahmoud était en train de prendre conscience de quelque chose.

« La police n'a pas arrêté de me demander si je m'appelais Abdel Aziz al-Rantissi, souffla-t-il. Ça ne me disait absolument rien, mais ils ne voulaient pas me croire.

– Non, fit Lærke. Puisqu'ils étaient persuadés que tu étais lui. »

Elle se retourna et le regarda, les yeux brillants. « C'est de ma faute, si tu as été en prison, Mahmoud. »

Et c'était le cas. Mais c'était apparemment aussi elle qui l'en avait sorti.

La police surveillait en fait la résidence depuis longtemps. Ils ne s'étaient manifestés qu'au moment de la supposée prise d'otages.

Il s'agissait de se montrer pragmatique. Il y avait peut-être quelque chose à réparer ? Je me tournai vers la silhouette recroquevillée entre nous.

« Khalid Yasin. Tu ne peux pas les convaincre de renvoyer les 100 000 couronnes ?

– J'ai peur, répondit-il d'une toute petite voix, qu'ils sont peut-être malheureusement, sûrement… partis. »

La poisse ! L'argent était parti en shampoing et essuie-tout dans la bande de Gaza !

Mahmoud se redressa. Il avait un drôle d'air.

« Est-ce que c'est vrai, Khalid ? Est-ce qu'elle dit la vérité ? »

L'imam s'écrasa plus encore.

« Peut-être pas tout à fait juste en tout, marmonna-t-il. Des détails peut-être pas très précis...

– Lesquels ? » demandai-je. Hors de question de laisser Mahmoud seul sur ce coup-là.

L'imam se tourna vers moi.

« Oui, il faut comprendre bien l'islam pour ça, expliqua-t-il, qui est une très délicate... »

Alors, Mahmoud le frappa. Une fois. Il lui assena une gifle retentissante.

« Dehors ! » hurla-t-il.

L'imam porta la main à sa joue et bondit du coussin.

« Quoi, Mahmoud ? Que dis-tu ?

– Va-t'en ! cria le jeune homme en le poussant. Dehors ! Je ne supporte plus ta présence ! »

Il continuait de le pousser vers l'entrée, et l'imam était en état de choc. Ce genre de choses ne pouvait pas arriver !

« Tu peux te tirer, Khalid ! Je te croyais mon ami ! Tu savais ce qu'il se passait avec elle ! Tu l'as toujours su ! Je t'avais confié que j'étais amoureux, je te faisais confiance ! Et pourtant... »

Il s'interrompit un instant et observa, incrédule, son ancien mentor.

« Alors c'est pour ça que tu venais tout le temps. Je croyais que c'était pour moi !

– C'est pour toi ! cria l'imam désespéré, qui s'accrochait pratiquement au montant de la porte. C'est pour toi, Mahmoud, je voulais aider juste !

– Tu as volé l'argent de Lærke ! Va-t'en ! Je ne veux plus te voir ! Tire-toi loin d'ici ! »

Ils étaient maintenant dans l'entrée, hors de notre vue, mais nous entendîmes Mahmoud frapper l'imam encore une fois. Et encore une. Et il continua, et ils commencèrent à crier en arabe. Jusqu'à ce que la porte d'entrée claque, et le silence se fit dans l'entrée.

Lærke et moi nous regardâmes. Ce n'était certes pas le

Mahmoud que nous connaissions, mais nous n'étions pas déçus de son évolution. Peut-être même que ça nous avait procuré un certain plaisir, allez savoir.

Après un bon moment, il revint dans le salon, et c'était de nouveau le Mahmoud dont nous avions l'habitude.

Mais il était éteint.

Il ne dit rien, alla simplement s'asseoir dans le canapé et regarda droit devant lui. Lærke alla s'installer à côté de lui.

« Ça sonnait bien ! dit-elle. Ça swinguait, même ! »

Il ne leva même pas les yeux.

« Ce type méritait une correction depuis très, très longtemps, continua Lærke, satisfaite. Et c'était encore mieux, parce que ça venait de toi. »

J'appréciais également. Ce que l'imam avait fait, il saurait sans doute s'en défendre, et certains milieux lui donneraient raison. Mais nous trois dans le salon n'appartenions pas à ces milieux.

Je ne veux pas dire que le bonhomme était totalement idiot. Il avait dit quelque chose à propos de lave… à propos des différences qui existent dans ce monde. Et qu'au fond, nous étions tous pareils. Ce n'était pas si bête : il y a des abrutis partout.

Mahmoud prit enfin la parole, d'une voix atone.

« Je suis très triste, pour tout ça. Pardon, Lærke, je ne savais pas qu'il était comme ça. J'ai honte de l'avoir laissé venir ici. Et pour ce qu'il t'a fait… Mais comprenez-moi, je lui ai fait confiance toute ma vie. »

Il se tut, et Lærke et moi échangeâmes des regards impuissants. Nous ne savions pas quoi dire.

Mahmoud leva les yeux vers nous.

« J'aimerais être seul, dit-il. Vous comprenez ? »

Lærke fit un signe vers la porte, la mine interrogatrice. Il acquiesça, malheureux.

« C'est mieux comme ça, reprit-il. Ça n'ira pas, Lærke. Désolé, mais ça le fera pas. Merci. »

Lærke se leva et alla lentement vers la porte. Elle me lança un regard incertain, et je ne savais pas comment répondre à ce regard.

« Mahmoud, tentai-je, mais il m'interrompit.

– Je suis triste, Maurice, tu peux pas comprendre ? J'ai été... naïf. À propos de beaucoup de choses. Et j'ai besoin d'être seul. »

Lærke s'en fut.

Je soupirai, et Mahmoud se tourna vers moi.

« Toi aussi, s'il te plaît, Maurice, dit-il. Va juste faire un tour, juste quelques heures. »

J'acquiesçai et me dirigeai vers la porte.

Lærke se tenait sur le seuil.

« O.K., dit-elle, la bouche pincée. S'il faut jouer cartes sur table, alors... O.K. »

Mahmoud ne leva même pas les yeux.

« Plus de malentendu, dit-elle encore. Plus de bobard, plus de blague. Juste pour savoir où on est les uns par rapport aux autres. »

Je hochai la tête mécaniquement. Je ne savais pas quoi faire d'autre.

« C'était de la franchise que tu voulais, n'est-ce pas Maurice ? » J'acquiesçai encore.

« O.K., autant que vous le sachiez. »

Elle prit une profonde inspiration – et une décision.

« J'ai un petit ami danois. »

Mahmoud s'affaissa encore un peu, mais toujours sans réagir.

« Aha, répondis-je, à défaut d'une meilleure répartie. Qui ? »

Lærke haussa les épaules, puis pointa le doigt vers Mahmoud, irritée.

« Lui. »

Et le visage de Mahmoud s'éclaira d'un grand sourire !

En ce qui me concerne, j'ai passé un agréable réveillon de Noël chez P. Jørgensen.

It's still the same old story
A fight for love and glory
A case of do or die
The world will always welcome lovers
As time goes by.

Épilogue

Quand j'ai écrit ceci, je l'ai évidemment montré à quelques-uns de mes amis, qui sont toujours très politiquement corrects. Ils n'ont rien trouvé à redire.

L'un d'entre eux craignait que certains lecteurs ne pensent que j'ai décrit mon ami comme à la fois bête et naïf.

Bête, non.

Naïf, oui.

Difficile de se montrer plus élogieux.

Et c'est bien lui qui a remporté la princesse.

Achevé d'imprimer en mars 2013
sur les presses de France Quercy à Mercuès (France)

Imprimé sur Munken Premium Cream 100 g
Papier certifié FSC, issu de forêts gérées durablement.

———————————————————————————

Dépôt légal : première édition, avril 2013
N° d'impression : 30181A/